ÊTES-VOUS
auditif ou
visuel ?

A nos parents

Dr RAYMOND LAFONTAINE
ET BÉATRICE LESSOIL

ÊTES-VOUS
auditif ou
visuel ?

Les Éditions Québecor

LES ÉDITIONS QUEBECOR
une division de Groupe Quebecor inc.
4435, boul. des Grandes Prairies
Montréal (Québec)
H1R 3N4

Distribution: Québec Livres

© 1989, Les Éditions Quebecor
© 1984, Les Nouvelles Éditions Marabout
Dépôts légaux, 2e trimestre 1989

Bibliothèque nationale du Québec
Bibliothèque nationale du Canada
ISBN 2-89089-515-7

Conception et réalisation graphique
de la page couverture: Bernard Lamy et Carole Garon
Illustration: Luc Métivier

Impression: Imprimerie l'Éclaireur

Sommaire

Etes-vous auditif ou visuel?

1. Regardez-vous la télévision tout en faisant autre chose (par exemple : tricoter, bricoler, bavarder...)? .... OUI NON

2. Toujours en regardant la télévision, faites-vous des commentaires à haute voix? .... OUI NON

3. Aimez-vous pratiquer le sport (ski, cyclisme...) en solitaire? .... OUI NON

4. Lisez-vous volontiers les romans à l'eau de rose, les biographies .... OUI NON

5. Etes-vous du genre à «vivre pour manger»? .... OUI NON

6. Quand votre interlocuteur ne vous regarde pas, avez-vous l'impression qu'il ne vous écoute pas? .... OUI NON

7. Quand on vous explique la route à suivre, vous faut-il un plan? .... OUI NON

8. Supportez-vous difficilement qu'on vous donne des ordres? .... OUI NON

9. Etes-vous découragé par l'échec au point de refuser toute nouvelle tentative? .... OUI NON

10. Etes-vous sensible au «qu'en dira-t-on»? .... OUI NON

11. Quand on vous lit une lettre, demandez-vous ensuite à la voir? .... OUI NON

12. Etes-vous incapable de suivre une conférence ardue sans aucun support visuel? .... OUI NON

13. Considérez-vous que le moindre détail a son importance? .... OUI NON

14. Avez-vous tendance à passer très vite à l'action? .... OUI NON

15. Avez-vous besoin de l'approbation de vos pairs? .... OUI NON

16. Etes-vous inquiet devant les situations inconnues?.. OUI NON

17. Etes-vous influencé par l'expression du visage de votre interlocuteur?................... OUI NON

18. Si vous avez un problème, cherchez-vous à le régler tout de suite?................... OUI NON

19. Quand vous êtes concentré sur un travail, entendez-vous ce qui se passe autour de vous sans perdre le fil de vos idées?....... OUI NON

TOTAL

Si vous avez répondu par une majorité de **OUI**, vous êtes du type visuel. Une majorité de **NON** traduit au contraire un profil auditif.

Il faut savoir, toutefois, que les adultes sont rarement à 100 % auditifs ou visuels. En effet, la tendance de base est partiellement compensée par la tendance complémentaire car, au fil des ans et des contacts avec les deux profils, chacun modifie plus ou moins son comportement spontané.

L'important n'est-il pas de savoir qu'il y a deux manières de voir et d'entendre, deux manières de percevoir un message, une information? Car, sachant cela, on peut aplanir bien des difficultés issues d'un problème de communication.

Nous souhaitons au lecteur quelques moments agréables (et surprenants) à la découverte de soi et des autres.

Introduction

Pouvons-nous dire qu'il y a deux sortes de lecteurs, d'écrivains, d'auteurs, de «leaders» etc.? Et pourquoi pas? Cette dualité semble bien réelle et est à l'origine du concept de communication découvert et développé par le docteur Raymond Lafontaine, neurologue.

Ce fut en tant qu'adjointe clinique que je pus participer au développement de ce concept. En effet, il y a dix-huit ans, le docteur Lafontaine me lançait le défi suivant : «J'ai besoin d'une personne qui aime les enfants, qui n'a pas peur de travailler et surtout, qui voudrait faire de la recherche!» Immédiatement, j'acceptai de relever le défi et un mois plus tard, je faisais partie d'une équipe de consultants en recherche opérationnelle dans une optique thérapeutique globale de rééducation concernant les enfants qui présentent des problèmes dits «d'adaptation», d'apprentissage scolaire, de dysfonction cérébrale mineure et autres...

*Déjà au moment où nous suivions ces enfants-là, nous pouvions remarquer que tel consultant avait plus de facilité qu'un autre à communiquer avec un type d'enfant alors que tel autre réussissait là où son confrère avait eu des difficultés. C'était intriguant. Ne nous a-t-on pas toujours enseigné qu'il fallait pouvoir communiquer de la même façon avec tout le monde? Eh bien non, et c'est là tout le plaisir de découvrir qu'il y a **deux façons de voir ou d'entendre.***

Le docteur Lafontaine, frappé par ces différences chez les enfants, rechercha à travers les cinq sens, les canaux préférentiels neuro-sensoriels et de perception de l'information et de la communication. Voyant environ mille à mille cinq cents enfants par année, il put décoder les réactions de ces derniers et c'est ainsi qu'un jour, en entrant dans mon bureau, il me dit : « C'est bien trop simple, jamais les gens ne croiront ça, mais il n'y a que deux profils prépondérants, les **auditifs** *et les* **visuels** *».*

Forts de la découverte de ce concept, nous avons commencé à l'appliquer aux familles qui venaient nous consulter. Un jour, ayant dans mon bureau depuis à peu près une heure, la famille que le docteur Lafontaine venait de voir, celui-ci entre et demande : « Mais de quoi parlez-vous après tout ce temps passé d'abord dans mon bureau et ensuite ici »? Nous nous sommes mis à rire et nous lui avons dit ce qui se passait : les parents n'étant pas sûrs d'avoir tout compris, me demandaient d'autres explications. A la lumière de cette réflexion, sa remarque fut la suivante : « Nous disons la même chose, mais pas de la même manière ». C'est ainsi que nous avons découvert que nous étions différents, lui auditif et moi visuelle.

Avec l'expérience vécue durant plusieurs années, et la curiosité aidant, nous nous sommes rendus compte que ce concept était applicable à tout individu, que ce soit l'enfant, l'adulte, le parent, le professeur, le patron, l'employé. Il fallait l'approfondir davantage. Aussi une étude, dans le cadre de la Maîtrise en Administration Publique, nous a permis d'appliquer ce concept dans un système d'information de gestion, permettant ainsi aux gestionnaires d'aller chercher une information plus adaptée en vue d'une meilleure prise de décision, selon qu'ils sont auditifs ou visuels.

Dans ce livre, je voudrais vous faire partager notre expérience en communication, en vous permettant de découvrir votre profil neuro-sensoriel et perceptuel de base, celui de votre interlocuteur et d'en arriver ainsi à accepter qu'il y ait des différences, et que c'est grâce à ces différences qu'on enrichit sa personnalité.

A tous, bonne lecture.

Béatrice Lessoil

Notre concept

Visuels et auditifs : deux profils prépondérants

Le profil de base

Certains accordent la prépondérance à ce qu'ils voient, d'autres à ce qu'ils entendent. Cette tendance est-elle innée ou acquise? Nous en parlerons un peu plus loin.

Dans un premier temps, intéressons-nous aux enfants et essayons d'identifier l'un et l'autre profil de base à travers certaines situations de la vie courante.

Evoquons les divers stimuli auxquels l'être humain est soumis, et ce déjà même avant la naissance. Effectivement, des auteurs tentent présentement de démontrer que le bébé entend alors qu'il se trouve dans le sein de sa mère. Nous ne tenterons pas ici de discourir sur ce phénomène, mais voyons quelles sont les réactions du tout petit face à ces stimuli.

● **La stimulation auditive** : le bébé reconnaît en premier lieu la voix de sa mère. Avant qu'il ne puisse la voir, il tourne la tête vers la source sonore. Et déjà par son expression l'on peut se rendre compte de la différence qu'il fait entre sa mère et une femme étrangère. La voix du père, généralement plus grave, peut parfois impressionner le bébé, au point qu'il se fige, sursaute, ouvre grand les yeux ou va même jusqu'à pleurer.

● **La stimulation tactile** : parallèlement à la stimulation auditive, le bébé réagit à la stimulation tactile. Hier encore, selon la méthode traditionnelle, au moment de sa naissance, le bébé était stimulé dans un premier temps par la «fessée» qu'il recevait du médecin ou de l'accoucheuse pour lui arracher son premier cri. Heureusement, à ce jour, plusieurs méthodes ont été développées et le premier stimulus tactile n'est plus nécessairement la «fessée». On lui fait découvrir le premier contact avec l'humain au moment où on le dépose sur le ventre de sa mère, immédiatement après sa naissance. Ensuite, il découvrira le contact de l'eau et des premiers vêtements pour passer ensuite dans les bras du père.

● **La stimulation visuelle** : le nouveau-né, issu d'un milieu sombre et préservé, c'est-à-dire le ventre de sa mère, passe dans un milieu lumineux et souvent éclatant. Même s'il ne voit qu'au travers d'un brouillard, il fait face à un univers de formes. La perception de celles-ci sera plus précise au fur et à mesure que la vision devient plus nette.

Nos observations cliniques ont fait ressortir un phénomène capital : face à ces diverses stimulations, la moitié de la société aura tendance à privilégier son sens visuel et l'autre, son sens auditif.

Le premier enfant d'une famille est ou auditif ou visuel. Il semble que le bébé aurait tendance à prendre le profil du parent le plus *présent psychologiquement* ou le plus *confiant dans l'avenir*, par rapport à la conjoncture de la période de sa naissance.*

Curieusement, le second enfant prendra le profil complémentaire au premier. Ce phénomène se représente à chaque paire d'enfants mais *pas nécessairement dans le même ordre* que les deux premiers. Cependant, nous avons constaté que les fausses couches et les enfants mort-nés n'entrent pas en considération dans cette répartition.

> **Nous appelons visuelle, la personne dont la prédominance va vers ce qu'elle voit, et auditive, la personne dont la prédominance va vers ce qu'elle entend.**

Identifions-les donc dans certaines situations de vie.

---

* Des observations plus récentes tentent de démontrer que le profil visuel ou auditif existerait dès avant la naissance (voir page 157).

Le bébé visuel

Il a le regard ouvert et clair. Il est celui dont on dit dès le début : «Il n'a pas besoin de parler, ses yeux parlent pour lui». Son regard accroche le vôtre et il semble que tout un monde s'y découvre. C'est le bébé qui, dès les premières semaines de vie, si vous ne le regardez pas, s'arrangera pour vous provoquer, par des gestes ou des mimiques et même certains bruits afin de vous arracher un sourire, un geste etc.

Un exemple : une collègue ayant un bébé âgé de sept semaines vient nous le montrer à notre bureau. Le bébé, visuel, alors qu'on s'occupait de lui, était tout souriant. Survient le docteur Lafontaine. En bon auditif, il parle immédiatement à la mère ayant le même profil que lui. Aussitôt, l'enfant se mit à gigoter et pousser de petits cris jusqu'au moment où le docteur s'est intéressé à lui. Ce manège s'est répété autant de fois qu'il a détourné son attention du bébé.

Ce même bébé peut être dormeur et ne déranger personne, mais attention au moment du réveil! C'est l'enfant qui réclame toute votre présence. Car il a besoin de retrouver sa mère, son père, c'est-à-dire, son point de repère visuel. Cependant, le fait de le prendre dans les bras ne le rassure pas. Il n'apprécie pas spécialement les caresses. Certains parents visuels aimant prendre leur enfant dans les bras se sentent frustrés par la réaction du bébé visuel. Effectivement, si le parent visuel est trop caressant ou enveloppant, l'enfant subit les caresses et se fige, ou tout au contraire, gigote jusqu'au moment où on le remet dans son berceau. Il peut même aller jusqu'à pleurer. Et si nous insistons, il peut passer par ces trois étapes.

Généralement, c'est le nourrisson qui présente des coliques, qui est réveillé au moindre bruit, au moindre attouchement. Il n'aimera pas au début l'expérience de la baignade et surtout pas qu'on lui lave la tête. Les bruits forts ou inattendus le font soit se figer, sursauter, et dans certains cas, pleurer. Si vous avez une voix trop forte ou trop grave, il vous manifeste sa crainte. Et surtout, n'allez pas le regarder trop sérieusement ou sévèrement, ce même enfant fait la lippe, son petit menton tremble et si vous ne vous reprenez pas à temps, il se met à pleurer.

Par contre, au premier sourire, que d'éclatement et que de rayonnement; c'est comme un feu d'artifice. Toute l'expression de l'enfant est chatoyante.

On remarque également que le nourrisson dormira mieux s'il est bien emmailloté. De plus, il boira mieux s'il n'est pas en contact direct avec la peau de la mère (ex. le sein, lors de l'allaitement maternel). Aussi y aurait-il lieu de veiller à ce qu'un peu de tissu soit entre la mère et le bébé.

Dès le départ, notre visuel étant fasciné par le monde de couleurs qui l'entoure, n'éprouve pas le besoin de s'exprimer ou d'exprimer ce qu'il voit; aussi, il n'est pas surprenant qu'il tarde à parler. D'ailleurs, la plupart des gens le comprennent par le geste ou le regard. Dans les cas où l'enfant est compris d'un seul regard et dont la mère n'est pas volubile, ce n'est que plus tard, alors qu'il fera face à l'étranger, qu'il développera l'expression verbale.

Donc nous vous rappelons que l'enfant visuel placé dans une famille de gens loquaces parlera plus tôt par besoin d'imitation.

Le bébé auditif

Le bébé auditif quant à lui nous donne l'impression que nous ne l'intéressons pas, qu'il ne nous voit pas. C'est le bébé très souvent dormeur, ne provoquant pas, et cependant il est toujours à l'écoute. Il n'a pas besoin de nous voir; le fait d'entendre la voix de sa mère ou de son père, le rassure. Il ne se laisse pas impressionner par l'expression qu'il ne semble d'ailleurs pas regarder. Mais très vite, il tentera d'établir des échanges avec la source sonore.

L'enfant auditif, généralement, ne présente pas ou rarement des coliques. Il n'est pas dérangé par le bain et, au contraire de son complémentaire, semble aimer ce genre de contact. Il accepte d'ailleurs les caresses de très bonne grâce et c'est le genre de bébé que tout parent visuel aimerait avoir : celui qui se laisse cajoler.

Le petit auditif n'aime pas être trop emmailloté; il a besoin d'un certain espace. Par contre, lors de la tétée, il aimera le contact du sein de sa mère et généralement il est moins facile à sevrer que le visuel qui, lui, accepte mieux le biberon que le sein de sa mère.

Le bébé auditif est moins pleurnicheur que le visuel et, généralement, lorsqu'il pleure, c'est pour une bonne raison.

L'enfant visuel

Comme nous avons pu le constater chez les bébés, les enfants aussi, visuels et auditifs, réagissent différemment aux situations de vie et on peut d'ailleurs retrouver des variantes dans les séquences du développement. En voici quelques exemples.

● **Face à la marche :** le visuel est généralement prudent, il n'osera s'aventurer que lorsqu'il est sûr de lui, à moins qu'il ne soit vraiment intéressé par un objet éloigné. Alors il oublie qu'il est debout et se met à marcher. Malgré cela, c'est l'enfant qui peut faire preuve de maladresse au point que certains parents nous diront que l'enfant «trébuche sur une poussière» ou dans «les dessins du tapis». S'il tombe, c'est l'enfant qui aura peur et attendra, pour reprendre l'expérience, le sourire encourageant de l'adulte qui doit lui montrer comment tomber, tout en lui disant que ce n'est pas grave, cherchant ainsi à le rassurer. Il peut aussi reprendre l'expérience pour imiter un autre enfant.

● **L'habileté motrice :** le visuel semble moins habile, au départ, que l'auditif. Effectivement si nous reprenons l'exemple de la marche, nous voyons que c'est le bébé qui trébuche plus facilement. On le trouvera ou gauche ou maladroit dans ses gestes ou mouvements. D'ailleurs, il se blessera plus facilement mais sans en tenir compte sur le moment, étant préoccupé par ce qu'il voit ou entend plus loin. Autrement dit, c'est l'enfant qui court dans un sens tout en regardant dans l'autre direction. Nous remarquons aussi que cet enfant est moins conscient du danger tant qu'il est en situation de confiance. S'il se trouve en situation de méfiance, il verra le danger partout.

● **Le message** : comme nous l'avons vu pour le bébé, le visuel se laisse envahir par les sons ; aussi, nous savons qu'il est hypersensible à la voix et à l'intensité de celle-ci, donc impressionné par une voix forte, trop grave ou trop aiguë. De prime abord, il n'entend que la résonance du message et non le sens des mots eux-mêmes. En effet, le visuel donnant priorité à ce qu'il voit, a spontanément tendance à réagir à l'expression du visage de l'interlocuteur. Ainsi, si celui-ci exprime des choses agréables avec un visage sérieux ou sévère, le visuel saisira en premier lieu l'expression pour ensuite s'arrêter au message verbal. La même chose se vérifie dans le cas contraire : lors d'une réprimande effectuée avec un visage souriant et une voix douce, notre visuel serait porté à nous dire «merci» s'il ne se rendait compte, après coup, de la différence entre le message parlé et la physionomie. La réaction peut être immédiate.

Tentez l'expérience suivante : changez l'expression de votre visage en plein milieu d'une explication ; vous verrez aussitôt le visuel s'interroger et, dans certains cas, devenir inquiet. C'est normal, il vous observe, pour ensuite vous écouter. Que faut-il faire ? Il faut alors le rassurer en lui apprenant à «écouter» le message plutôt que de se fier uniquement à ce qu'il voit et entend distraitement.

Quand un enfant veut passer un message à l'adulte, si celui-ci ne le regarde pas et qu'il est en situation de confiance, il lui prendra le visage entre les mains et le tournera vers lui, ou tirera cette personne par la jupe ou le pantalon, surtout si elle ne semble pas disponible pour lui.

● **L'explication** : l'enfant visuel a besoin d'une explication nette et précise, généralement accompagnée d'images, ou d'une démonstration, ou d'un dessin. Par exemple, vous expliquez à un enfant comment encastrer des blocs les uns dans les autres ou les uns sur les autres; il ne vous comprendra que lorsqu'il vous aura vu le faire vous-même une première fois. Sinon, le visuel vous demandera une démonstration au fur et à mesure de la description.

● **Le tactile :** non seulement le visuel doit voir, mais il doit toucher. Exemple : chez l'enfant à qui vous dites «le poêle est chaud», la réaction est classique, il ne croit en votre remarque que lorsqu'il met la main sur l'élément, au risque de se brûler. Il lui faut vivre l'expérience. Remarquons aussi que ce type d'enfant ira jusqu'à défaire les objets pour «voir» comment ils sont faits.

● **Face aux caresses :** comme nous l'avons vu pour le bébé, l'enfant visuel ne raffole pas des caresses, mais n'allez pas en conclure qu'il y est complètement fermé. Il acceptera d'être cajolé en certaines circonstances précises : par exemple, lorsqu'il a besoin d'être sécurisé à la suite d'une frayeur, d'une absence, d'une réprimande ou simplement pour faire plaisir. Il les appréciera davantage lorsque c'est lui qui les demande et si celles-ci sont fermes. Toutefois, il ne faudra pas que ces dernières se prolongent trop, car l'enfant pourrait aller jusqu'à paniquer.

● **Face à la douleur :** le visuel, s'il est en action, ne réagit pas immédiatement à la douleur. Il continue l'action entreprise. Par exemple, un enfant en train de jouer, se coupe ou se cogne; il continue son jeu sans broncher, mais s'il voit du sang, ou si sa mère ou son père s'inquiètent, c'est le drame. En fait, le visuel a très peur d'avoir mal, mais devant la douleur elle-même il peut adopter une attitude stoïque. En guise d'exemple : supposons un enfant qui reçoit une série de vaccins! La première injection n'attire aucune réaction négative. Pas une larme! Tout au plus, un léger retrait. Mais lors de la deuxième visite, bien avant d'avoir été touché, il se met à pleurer. Il a réagi à la seule «vision» du médecin ou de l'infirmière face à ce qui l'attend.

● **Face à la maladie :** l'enfant visuel a un besoin encore plus grand de la présence de ses parents. C'est l'enfant qu'on ne peut hospitaliser facilement sans qu'il ne se croie abandonné. D'ailleurs, il n'est pas rare que l'enfant garde pour un certain temps une rancune vis-à-vis de ses parents — principalement sa mère — ne comprenant pas que ceux-ci ne peuvent tout régler pour lui.

● **Quant à la punition physique :** la première fois que le visuel reçoit une fessée, il se frotte les fesses avec un air interrogateur, se demandant ce qui lui arrive. A la deuxième fessée, les choses se gâtent. Rien qu'à voir le geste, il pleure, se sentant frustré. Dans d'autres cas, il se vengera de la même façon sur le parent qui l'aura puni ou sur une autre personne ou un animal. Si, dans notre mode de réprimande, la fessée est incluse, l'enfant visuel s'habitue à cette pratique, s'endurcit, et nargue ses parents en leur disant : «ça ne fait même pas mal!» La punition physique n'amène pas alors le résultat escompté. Par contre, le visuel comprendra la portée d'une punition physique lorsqu'il fait une chose dangereuse pour sa vie ou celle d'un autre, à condition qu'elle soit servie sur le champ. Sinon, l'enfant étant passé à autre chose et ayant oublié l'événement, se demandera ce qui se passe. Il ne fait plus le lien entre la cause et l'effet. Et n'oublions pas que l'enfant, subissant des punitions physiques, peut rechercher ce mode d'affection plutôt douteux et transposer cette façon d'agir sur ses propres enfants.

● **Face à l'échec :** le visuel accepte difficilement l'échec, c'est-à-dire que, lorsqu'il «manque son coup», il a l'impression de ne pas être «bon». Si, de plus, nous lui faisons remarquer son échec, il se sent deux fois plus inapte à réussir et n'accepte pas toujours, dans ces conditions, de recommencer la même action. Par contre, si vous lui donnez les moyens de reprendre l'action manquée et le rassurez face à la réussite, il ne refusera pas d'essayer à nouveau. Toutefois, la crainte de l'échec peut provoquer chez notre visuel le refus d'agir. Certains, sans aller jusque là, peuvent tout simplement attendre pour voir si d'autres réussissent, avant d'entreprendre eux-mêmes la tâche. Par exemple, si on demande à un enfant de mettre en place ses jouets par ordre de grandeur et qu'il n'arrive pas à le faire, au moment où on lui dit que ce n'est pas bien fait, il en prend conscience et abandonne alors ce qu'il avait entrepris pour entamer une autre activité très différente.

● **La réussite** : l'enfant visuel n'arrive pas à s'auto-évaluer tant et aussi longtemps que nous ne lui avons pas appris à le faire. Lors d'une réussite, étant porté à se fier à la réaction de l'adulte, il attendra l'approbation, mais n'osera pas toujours croire à l'objectivité de celle-ci n'ayant pas encore trouvé ses points de repère. Par exemple, un enfant qui parvient à lacer ses souliers pour la première fois, attendra les félicitations de son entourage avant de croire qu'effectivement il y est parvenu, et ceci tant qu'il n'aura pas appris à évaluer sa propre expérience.

● **L'action** : le visuel aime le mouvement, il aime l'action tout simplement. C'est l'enfant du moment. Il faut que tout bouge autour de lui, et il changera d'action autant de fois qu'il sera stimulé ou intéressé par quelqu'un ou quelque chose. Il doit tout voir, tout toucher, entreprendre 36 jeux à la fois, sans s'attarder sur aucun. Par exemple, l'enfant entreprend un jeu de construction ; s'il vous voit faire la vaisselle, il voudra participer et jouer dans l'eau. Si cela dure trop longtemps d'après lui, il s'en détachera pour entreprendre autre chose tout en laissant et le «lego» et la vaisselle inachevés. Cette façon d'agir se remarque encore plus si c'est le parent qui l'envoie jouer. Ce qui m'amène à vous parler du temps.

● **Le temps** : pour le visuel, le temps n'existe pas, c'est le présent qui importe. Lorsque l'enfant visuel demande quelque chose, il le lui faut immédiatement, et d'ailleurs si vous lui répondez «attends cinq à dix minutes», il vous revient au bout de quelques secondes et vous demande «c'est fini les dix minutes»? Dans les faits, le visuel sera rassuré lorsqu'on lui dit combien de temps prend une action, pour autant que nous puissions lui donner un point de référence, soit par l'horloge, soit par la sonnerie de la minuterie, lui ayant expliqué que lorsque celle-ci sonne, le temps d'attente s'est écoulé. Lorsqu'on prévoit une excursion ou une visite à quelqu'un que l'enfant aime beaucoup, il est préférable de ne pas le prévenir trop longtemps à l'avance, celui-ci voudra y aller immédiatement et ne cessera de vous harceler jusqu'au moment du départ.

● **La discipline** : l'enfant visuel a besoin d'un cadre, d'une structure, c'est-à-dire qu'on doit lui dire exactement ce qu'on attend de lui et comment il doit procéder. Le fait d'utiliser un programme, pour le visuel, le sécurisera tout en lui permettant de se servir de son imagination et de sa créativité.

● **Le commandement** : l'enfant visuel n'aime pas être commandé ; il répondra plus spontanément à un souhait de la part de l'adulte parce que fondamentalement, il aime et doit faire plaisir. Si vous exigez quelque chose de l'enfant et que celui-ci ne se sent pas sûr de pouvoir répondre à l'exigence, il refusera en faisant le contraire ou le fera après plusieurs demandes, et ce, en rouspétant.

● **L'apparence** : l'enfant visuel est très sensible à l'apparence d'une personne ou d'une chose. Il aime être «beau» et apprécie beaucoup qu'on le lui dise. Si on offre un cadeau à un enfant visuel et que celui-ci n'est pas emballé de manière attirante, le cadeau aura moins d'attrait. Il se laisse souvent impressionner par le contenant plutôt que par le contenu. Par exemple, si on demande à un enfant visuel : «aimes-tu mieux être beau ou être gentil», il répondra avec assurance : «j'aime mieux être beau». Le cadeau, pour le visuel, représente la reconnaissance ou une preuve d'amour (on a pensé à moi!).

● **La concentration** : le temps de concentration, chez l'enfant visuel, est très court et dans certains cas, les parents nous diront : inexistant. Cependant, le visuel intéressé par quelque chose pourra se concentrer, mais se laissera facilement distraire, soit par un bruit, soit par l'action de l'adulte, etc. Par exemple, un enfant très occupé à jouer, s'il entend le camion des pompiers, lâchera tout pour aller voir ce qui se passe. On se rend compte ici que le moindre bruit, le moindre mouvement ou le moindre changement dans l'environnement le dérange ou l'intrigue selon les circonstances.

● **La verbalisation** : l'enfant visuel en situation de confiance a tendance à être volubile. Il raconte spontanément ce qui se passe, ce qu'il voit et ce qui lui passe par la tête. Il fabule facilement, s'inventant une compagne ou un compagnon, lui parlant même tout haut. Lorsqu'il a l'impression de n'être pas écouté, il parlera à un animal familier et même à ses oursons en peluche. Il est généralement très expressif, mais en situation de non confiance, il s'agite et peut aller jusqu'à prendre un air timide et ne plus rien dire. D'ailleurs, l'enfant visuel qui a trop peur, se figera ; et seul son regard peut nous apprendre ce qui se passe.

L'enfant auditif

● **Face à la marche** : l'enfant auditif semble moins pressé que le visuel pour marcher, mais dès qu'il se sent prêt, il marchera et, généralement, de façon harmonieuse. Il peut d'ailleurs sembler plus habile que le visuel, étant moins préoccupé par ce qu'il voit alentour. S'il tombe lors d'un premier essai, il peut prendre du temps pour recommencer afin de récupérer de ce qui pourrait être considéré comme un échec. Pour que l'enfant auditif accepte de reprendre l'expérience, il aura besoin d'un encouragement verbal et de valorisation, lui démontrant que tomber n'est pas spécialement une erreur et que ce n'est pas la fin du monde.

● **L'habileté motrice** : l'auditif ne paraît avoir aucune difficulté à la manipulation ; il semble que chez lui, ce soit « inné ». Il serait également plus conscient de l'espace environnant et regarde généralement où il va. D'ailleurs, il se blesse moins facilement que le visuel et est plus conscient du danger, ayant l'instinct de protection qu'il soit en situation de confiance ou de méfiance. Son apprentissage d'une activité motrice nouvelle demande plus de temps, l'enfant ayant besoin d'analyser la situation. Il est toujours à la recherche du «comment faire».

● **Le message :** l'enfant auditif savoure un message verbal, indépendamment du ton de la voix et de son intensité. Le message a tendance à être compris d'emblée. Toutefois, un message émis de manière agressive passera, mais l'enfant se sentira mal à l'aise, aura de la peine, se demandant ce qui arrive à l'autre personne.

● **L'explication :** l'enfant auditif aimera avoir une explication nette mais succincte. Ne vous avisez pas de lui répéter deux fois la même chose, il vous répondra immédiatement qu'une seule explication suffit, qu'il a bien entendu. Il n'a pas réellement besoin de démonstration, car c'est l'enfant qui ne craint pas de vous poser une deuxième question s'il pense qu'il n'a pas bien compris. Par contre, s'il se trouve dans une situation de non confiance, il préfère se taire et attendre tout en se demandant pourquoi il n'a pas compris.

● **Le tactile :** l'auditif ne semble pas avoir besoin de toucher. Si on lui dit : «attention, le poêle est chaud», il approchera la main de la source de chaleur mais n'ira pas jusqu'à toucher. Il procède par déduction. Mais quand un auditif se met à toucher, il semble que ce soit pour connaître plus profondément les choses ou les êtres.

● **Face aux caresses :** l'auditif accepte de bonne grâce les caresses, comme nous l'avons vu pour le bébé, mais pour autant que ce soit le bon moment. Point besoin d'excuse pour se faire cajoler ; il demandera ouvertement à l'adulte de lui frotter le ventre ou de lui gratter le dos, mais il n'aimera pas une caresse intense ; il préférera le tout en douceur. Une légère tape amicale sera un jeu pour l'auditif même s'il tente de vous donner l'impression d'être offusqué.

● **Face à la douleur** : l'auditif, s'il se blesse ou se fait mal, réagit immédiatement et demandera de l'aide aussitôt. Toutefois, si personne ne répond d'emblée, l'enfant ira rejoindre la première personne qui pourra l'aider. Dès que l'enfant reçoit de l'aide, il se sent rassuré et l'histoire est oubliée. Si les parents s'inquiètent, il arrive à l'auditif de «bluffer» et ainsi rassurer ses parents en leur disant que ce n'est pas grave.

● **Face à la maladie** : l'enfant auditif accepte difficilement d'être malade. Se sentant malade, il refuse le contact des autres et se sent agressif si on le dérange. Il a tendance à se retirer afin d'être seul. On peut l'hospitaliser plus facilement que le visuel à condition qu'on puisse faire quelque chose pour lui, mais il nous informera du moment où il va mieux, car il est impatient de retrouver son milieu familial.

● **Quant à la punition physique** : l'enfant auditif réagit instantanément à la fessée. Le message est compris et il s'arrange pour ne pas subir ce mode de réprimande à nouveau. Il pleure ou se renferme dans un mutisme complet, signalant par ces modes de comportement sa désapprobation. Contrairement au visuel qui a tendance à «narguer» les parents s'ils maintiennent ce mode de réprimande, l'auditif lui, peut paraître indifférent au point de s'attirer la critique du visuel.
   Comme pour le visuel, la punition physique devrait être gardée pour des raisons graves et non pour tout ou rien, car n'oublions pas que l'enfant a tendance à transposer ce qu'il a appris lorsqu'il sera lui-même adulte.

● **Face à l'échec** : l'auditif se sent déçu mais accepte de recommencer la tâche manquée. Il n'a pas l'impression, comme le visuel, de ne pas être «bon» même quand il échoue. La crainte de l'échec ne l'empêche pas de produire d'emblée, étant conscient qu'il est meilleur ailleurs. Mais un échec considéré par l'enfant comme important peut déjà le déprimer. Il pleurera alors pour rien, son sommeil en sera perturbé et même au niveau alimentaire, on constatera généralement une baisse d'appétit, ou l'inverse.

● **La réussite** : l'enfant auditif prend facilement conscience de ses réussites et n'attend pas l'approbation de l'adulte. Il est plus conscient que le visuel de ses limites et n'entreprendra quelque chose que lorsqu'il est sûr de réussir. Par exemple : un auditif ayant pu lacer ses souliers pour la première fois, dira à l'adulte qu'il a réussi et ne se sentira pas obligé de reprendre l'action une deuxième fois pour s'évaluer.

● **L'action** : l'auditif n'a pas tendance à agir, il aura des idées! Lorsqu'il passe à l'action, c'est parce que personne n'est disponible pour lui à ce moment-là. L'enfant entreprend une action nouvelle après y avoir réfléchi, il la fera jusqu'au bout et n'aimera pas être dérangé durant l'action. Mais dans une famille de deux enfants, comme nous le verrons plus tard, on retrouve un visuel et un auditif. L'action, c'est le visuel; aussi, lorsqu'il y a «mauvais coup», celui que l'on prend sur le fait, c'est le visuel. Mais posez-vous la question : «Qui a eu l'idée?» à condition que le responsable l'ait exprimée tout haut, bien entendu.

● **Le temps** : l'enfant auditif s'intègre dans le temps; il peut attendre quelque chose sans se rendre compte du temps qui passe. Ne croyez toutefois pas qu'il est inconscient au point de l'oublier; au contraire, il vous le rappellera si nécessaire, pouvant se situer plus facilement que le visuel, dans le temps. Par exemple, si un auditif veut obtenir quelque chose, il choisira le moment opportun pour le demander à l'adulte et selon qu'on lui demande de patienter cinq ou dix minutes, il se concentrera sur une autre action pouvant parfois laisser, sans s'en rendre compte, dix minutes de plus à l'adulte. Lorsqu'on prévoit une excursion ou une visite à quelqu'un, il est préférable de le prévenir à l'avance, car si l'enfant est pris au dépourvu, n'ayant pas prévu cette activité dans son programme, il vous fera savoir son insatisfaction, à moins qu'il s'agisse de quelque chose d'urgent.

● **La discipline** : avec l'auditif, il est préférable de faire face à une discipline globale, c'est-à-dire que le cadre, ou la structure doit être souple. Généralement, quand un auditif sait pourquoi il doit faire quelque chose, il aime avoir une certaine latitude pour le faire. D'ailleurs, il tient beaucoup à sa liberté.

● **Le commandement** : l'enfant auditif accepte assez facilement un commandement parce qu'il aime rendre service et aime faire des choses qui sont valorisantes parce que nécessaires et utiles, mais il risque de le laisser traîner en longueur s'il juge le commandement non conforme à son schéma de pensée. Par ailleurs, il acceptera difficilement de faire des choses uniquement pour faire plaisir, surtout en dehors de la famille.

● **L'apparence** : pour l'auditif, l'apparence d'une personne ou d'une chose est secondaire. Si on lui donne un cadeau non enveloppé ou n'attirant pas tellement le regard, l'enfant n'y attachera pas d'importance; c'est le contenu et non le contenant qui compte. Par exemple, si on demande à un enfant auditif : «aimes-tu mieux être *beau* ou être *gentil*, il baissera les yeux et répondra avec assurance : «j'aime mieux être *gentil*». D'ailleurs, il acceptera le cadeau parce qu'il considère le mériter et non nécessairement comme une preuve d'amour.

● **La concentration** : l'auditif peut se concentrer au point de ne plus rien entendre. Dans certains cas, nous croyons que l'auditif ne nous écoute pas, ayant les yeux dans le vague et paraissant distrait. Si vous interrogez celui-ci quelque temps après, vous vous rendrez compte que l'enfant a tout compris de votre conversation même si elle ne lui était pas adressée. Contrairement au visuel, le bruit, le mouvement ou le moindre changement dans l'environnement, ne dérange pas l'auditif et, dans certains cas, renforcent sa capacité de concentration.

● **La verbalisation** : l'enfant auditif n'a pas tendance à s'exprimer beaucoup. Il le fait de façon rationnelle et synthétisée. Il exprime rarement ce qui se passe, ce qu'il voit ou ce qu'il entend. Toutefois, s'il se trouve un sujet qui l'intéresse et se sent en confiance, il peut être plus volubile que dix visuels réunis, car il a une quantité de questions qu'il n'énoncerait pas en d'autres temps. Lorsqu'un auditif a l'impression de ne pas être écouté, il ne tentera même pas de se faire écouter, il attendra à nouveau le moment propice. Mais dans une situation de non confiance, l'auditif se ferme, ne parle pas et garde un air impassible même si vous tentez de le faire parler ou de le faire rire.

Lorsqu'il a peur, il manifestera ce sentiment par la verbalisation en appelant à l'aide s'il ne peut pas se dérober.

Le profil complémentaire

Comme nous venons de le voir, le premier enfant d'une famille prend soit le profil auditif soit le profil visuel. Fait étonnant, mais cependant toujours vérifié : le deuxième enfant prendra automatiquement le profil complémentaire. Cette complémentarité se retrouve d'ailleurs au niveau du couple : jusqu'à ce jour, les auteurs n'ont jamais rencontré un couple où les deux conjoints avaient le même profil.

Pourtant, par son contact avec ses parents, la société, l'enfant va peu à peu greffer l'autre profil sur le sien propre ; toutefois, la dominance de base va demeurer même si elle n'est plus aussi marquée que chez le bébé. Identifions à présent l'auditif et le visuel chez les adolescents d'abord, les adultes ensuite.

L'enfant a son profil propre, mais avec le temps, et avec l'expérience, il découvre et apprend le profil complémentaire. D'ailleurs, l'enfant est exposé aux deux profils par la «complémentarité» parentale. Car, ainsi qu'on a pu le constater, un couple est toujours formé d'un visuel et d'un auditif.

C'est un fait que les parents sont différents et tentent d'adapter leur complémentarité sur tous les plans, en quête d'un équilibre dans l'actualisation de leurs forces mutuelles. Ainsi, sur le plan physico-biologique : il faut un homme et une femme pour faire un enfant. Au niveau de la sensibilité, la femme peut exprimer ses émotions, tandis que l'homme, depuis le jeune âge, doit les refouler. Par exemple, on dit au petit garçon : «si tu es un homme, tu ne pleures pas ; si tu es un homme, tu n'as pas mal ; si tu es un homme, tu ne montres pas tes sentiments» et ainsi de suite... Ce qui fait que, socialement, nous retrouvons la même intensité de sensibilité chez l'homme, mais manifestée de manière différente. Quant à la formation professionnelle, on était jadis moins exigeant pour l'avenir d'une femme qu'on préparait à devenir une bonne épouse, une bonne ménagère et surtout une bonne mère, tandis que pour l'homme, il fallait envisager une carrière. A l'échelle de la collectivité, il était tenu pour responsable et devait assurer la survie de la famille. Pourtant, si nous regardons les couples actuels, nous remarquons que le système de valeurs a changé et admet maintenant de reconnaître l'égalité du potentiel intellectuel et des tâches chez les deux membres du couple.

De nos jours, le milieu familial n'est plus un lieu protégé de l'assaut de l'information extérieure. La mère, de ce fait, ne peut plus «rester dans son coin» et on assiste à une interchangeabilité des rôles, vu leurs forces différentes qui sont suscitées par la réaction des enfants, face à des notions multiples qu'ils doivent appliquer. A partir de ce moment, les parents sont placés devant les mêmes contraintes.

Direct ou indirect :
d'un enfant à l'autre

Ainsi que nous l'avons mentionné au chapitre précédent, nous savons maintenant que les enfants se partagent toujours deux par deux. Voyons comment cela peut s'expliquer avec les notions que nous possédons jusqu'à présent.

Si le premier enfant est de type auditif, nous savons qu'automatiquement le deuxième prendra le profil visuel. Au troisième enfant, le cycle recommence, mais pas spécialement dans le même ordre et ainsi de suite pour les paires subséquentes. En voici les détails.

Le correspondant

Le premier enfant, ainsi qu'on l'a expliqué plus haut, prend le profil du parent qui est «le plus disponible ou le plus présent psychologiquement» ou «le plus confiant dans l'avenir» par rapport à la conjoncture de la période de sa naissance. (Ceci correspond à nos observations; toutefois, le docteur Gilles Racicot, pédiatre, s'interroge quant au moment de l'installation des profils et il nous en parle dans un autre chapitre de ce livre.)

Donc, le premier enfant ne prend pas toujours le profil de la mère. Par exemple : le manque de disponibilité de la mère amènera l'enfant à prendre le profil du père. Il peut en être ainsi dans certaines situations telles que les suivantes :

1. Les contraintes économiques qui obligent la mère à travailler : elle ne se sent pas à l'aise d'avoir un bébé immédiatement.

2. La femme qui se trouve enceinte pour faire plaisir à son mari.

3. La femme qui admire son mari et dont elle veut retrouver le même profil chez son enfant. Etc.

Ce même type d'exemples peut très bien s'appliquer au

père. Alors l'enfant garde le profil de sa mère. Donc «correspondant».

Le complément

Ne soyez pas surpris, mais c'est toujours le deuxième enfant qui est le «complément» ou l'«indirect». Effectivement, il se trouve être complémentaire au premier enfant et au conjoint ayant le même profil que le premier enfant. Par conséquent, il est le correspondant du conjoint ayant son propre profil.

Nos observations nous ont amenés à constater ce phénomène dans tous les cas, sans que des études «génétiques» puissent l'expliquer, actuellement.

Et les autres?

Le troisième enfant, normalement, devrait respecter le même ordre que les deux premiers. Cependant, nous notons que ce n'est pas toujours ce qui arrive. Dans les faits, que se passe-t-il? On remarque qu'il y a inversion lorsque le conjoint ayant donné son profil au premier, est le moins disponible. Automatiquement, le quatrième complète la paire.

Les jumeaux

Parmi les enfants jumeaux que nous avons eu l'occasion d'observer, nous avons constaté qu'ils subissaient le même phénomène que les autres enfants, que les jumeaux soient «vrais» ou non. Donc, nous y retrouvons l'auditif et le visuel s'ils commencent une paire. S'ils s'insèrent en impair, ils peuvent se retrouver en complément ou en correspondant vu que l'un des deux recommence une paire. Toutefois, leur profil est généralement plus difficile à définir, ceux-ci vivant plutôt en symbiose ou l'un pour l'autre, étant élevés ensemble et avec les mêmes schèmes de référence.

L'enfant adopté

Curieusement, dans une famille où on ne trouve que des enfants adoptés, le même «patron de base» se dessine. Encore une fois, nous retrouvons les complémentaires dans l'ordre, par paire. Une famille possédant déjà un enfant adopté ou non, et qui en adopte un autre, choisira instinctivement un deuxième enfant qui sera complémentaire. Il demeure que, consciemment, cette famille peut choisir deux enfants de même profil.

Correspondance et complémentarité

Comme nous avons pu le voir précédemment, l'enfant prend, ou le profil auditif, ou le profil visuel. Cependant, étant exposé en premier lieu aux parents qui sont complémentaires, et plus tard à la société où nous retrouvons les deux profils, l'enfant greffe l'autre profil sur le sien au fur et à mesure qu'il avance en âge. Toutefois, la dominance adoptée dès le début demeure, sauf qu'on ne la retrouve pas aussi marquée que chez le bébé. Examinons quelques situations de vie où nous pouvons découvrir le profil de l'adolescent.

Nous pouvons dire que la caractéristique première de l'adolescence, c'est la recherche de son identification ou de son «moi». L'adolescent ne veut plus ressembler ni à sa mère, ni à son père. Il veut être lui-même, une personne, une entité, unique quoi! Aussi il préfère être «copain», «copine» avec son correspondant à condition qu'il soit du même sexe. Il peut arriver qu'il y ait certains problèmes avec le correspondant du sexe opposé (exemple : père-fille, mère-fils du même profil) tant et aussi longtemps qu'il n'en a pas compris le phénomène de correspondance et de complémentarité. Identifions donc quelques caractéristiques de comportement.

L'adolescent visuel

● **Le message :** l'adolescent reste sensible au mode d'expression. Toutefois, avec l'apprentissage, il peut davantage faire abstraction de l'intensité de la voix pour comprendre le message, mais reste encore surpris par le ton. Souvent, il aura une réaction de défense et répondra sur le même ton à ses pairs, à ses parents et parfois même au professeur. Nous avons d'ailleurs remarqué que l'adolescent visuel n'accepte pas qu'on lui parle fort, mais lui-même ne s'en prive pas nécessairement. Si, de plus, l'expression du visage ne concorde pas avec les dires, le visuel peut se sentir encore plus mal à l'aise et ne rien vouloir comprendre.

● **L'explication** : pour le visuel, l'explication doit être très claire, très nette, élaborée, bourrée d'exemples et donnant la réponse au «comment». Plus on lui donne d'images, plus il se sent à l'aise. Si vous tentez de lui démontrer quelque chose, dans un premier temps, il vous dira : «Je le sais», mais ensuite il vous demandera l'explication. Face à un nouvel appareil, si vous ne lui expliquez pas concrètement son fonctionnement, il n'attend pas et joue avec les boutons pour le faire fonctionner.

● **Les caresses** : l'adolescent visuel ne les aime pas beaucoup et c'est l'âge où il refuse catégoriquement les caresses des parents. Pour lui, cela fait trop bébé et... que penseraient les copains? D'ailleurs, il préfère donner des bourrades à ses amis. Parfois il acceptera les caresses par convenance ou par politesse envers certains adultes, par exemple ses grands-parents.

● **L'échec** : le visuel en situation d'échec se sent agressé, autrement dit «incapable». Il a l'impression d'avoir besoin de sa mère et demande à être «compris». Ce n'est pas sa faute s'il a raté, c'est la faute du voisin, qui l'a empêché de faire ce qu'il fallait. Il se déculpabilise en se trouvant un bouc émissaire et démissionne devant la tâche. Chez lui, c'est tout ou rien. L'échec l'angoissera très vite, mais il est très facile de remonter le visuel, dès qu'on le rassure sur ses capacités de réussite.

● **La réussite** : l'adolescent visuel sait tout, il se sent «bon» en tout, et surtout, n'allez pas lui dire qu'il n'a pas encore d'expérience. Lors d'une réussite, tout le voisinage est en émoi et il faut que le visuel se fasse dire qu'il est bon. D'ailleurs, il bombe le torse, marche plus droit et fait le fanfaron. Ou tout autrement, l'adolescent timide n'osera pas croire à ses réussites, et malgré les félicitations de l'entourage, il aura tendance à se sous-estimer, perdant ainsi des chances d'être sélectionné pour certaines activités.

● **L'action** : le visuel bouge en tout temps, se trouve toujours quelque chose d'«extraordinaire» à faire ou à inventer. Tout doit être en mouvement, les bras, les jambes, même le visage ; on dirait que s'il reste assis quelques minutes sans rien faire, il va tomber malade. Avec 10 % de connaissance, il nous donne l'impression de tout savoir. En fait, «superman» est réinventé. Il peut fonctionner avec le peu de connaissances qu'il possède. Pour lui faire entreprendre une action nouvelle ou spécifique, nous devons lui donner trois bonnes raisons ; notons cependant qu'il faut lui donner aussi le même nombre de raisons face à l'échec.

● **Le temps** : l'adolescent n'a jamais le temps de... Il est tellement occupé ou préoccupé, personne ne peut comprendre... sa vie évidemment semble toujours en danger... Par exemple, s'il désire un nouveau disque, un nouveau jeu, il faut qu'il l'achète le jour même car demain, il n'y en aura plus, et c'est tellement important de le posséder, tous les copains l'ont déjà. Il vous convaincra qu'il est toujours le dernier à obtenir quelque chose alors que les parents des amis, eux, n'attendent pas ! Ce serait tellement mieux si c'était hier ! La notion de temps, pour lui, semble totalement inconnue ; par exemple, si vous lui demandez, lors d'une de ses sorties, de rentrer à la maison à 22 heures, ne l'attendez chez vous que vers 23 heures 30. Si vous lui en faites la remarque, il vous répondra : «Il n'est pas si tard, je suis légèrement en retard, mais après tout, je n'ai pas vu passer l'heure !» (Son temps, pour lui, est précieux, quant à celui des autres ?).

● **La discipline** : il vous fait croire que maintenant il est responsable, qu'il peut se diriger tout seul. En fait, l'adolescent demande une certaine discipline, mais les parents ont intérêt à laisser croire à celui-ci que c'est sa propre discipline qui est en place. Ceci le valorise.

● **Le commandement** : pour l'adolescent, le commandement, ou commander, fait partie des «tabous». Personne n'a le droit de le commander ; les autres, surtout l'adulte, ne savent pas... Mais en réalité, c'est lui qui commande ! Il doit faire ses propres expériences avant de pouvoir vivre le réel.

● **Le qu'en dira-t-on, l'apparence** : l'adolescent visuel a un besoin impérieux de s'identifier au groupe de jeunes de son âge, par le langage, les gestes ou l'habillement. Par exemple : si ses copains portent des «jeans», il en portera aussi. Il en fut de même lors de la mode des cheveux longs pour les garçons. Il est très sensible au qu'en dira-t-on, au point d'accepter de courir les discothèques même s'il n'en supporte pas le bruit et la musique. Pour lui, c'est une façon de s'étourdir, de ne pas faire face aux réalités que, trop souvent, il trouve trop dures, et par habitude il aura tendance, même seul chez lui, à faire jouer la musique à tue-tête indépendamment de ce qu'en pensent les voisins qui, eux, sont des «croulants».

● **Devant la télévision** : la T.V., pour le visuel, c'est sacré ; il nous dit qu'il regarde la télévision, qu'il ne peut manquer ses programmes, mais vous le verrez se lever, regarder autre chose en même temps. En fait, il ne peut rester à rien faire, ou alors il s'endormira sur le programme. Mais ne vous avisez pas de fermer la T.V. car il vous en fera le reproche.

● **Vis-à-vis des bandes dessinées** : le visuel préfère regarder des bandes dessinées plutôt que de lire des livres sans images. D'ailleurs, il réagit instantanément à l'image et vérifie sa perception visuelle en lisant ensuite le texte.

L'adolescent auditif

● **Le message** : l'adolescent auditif ne se laisse pas impressionner par la *manière* dont on s'adresse à lui. C'est le message en lui-même qui est important. Si l'interlocuteur lui parle fort, il en sera peiné mais ne le montrera pas. S'il se fait interpeler par un visuel, l'auditif n'ayant pas tendance à regarder son vis-à-vis, lui dira de continuer sa conversation, qu'il n'a pas besoin de voir pour entendre.

● **L'explication** : pour l'auditif, l'explication doit être très succincte et très concise. Si vous vous égarez dans les détails, vous voyez son regard s'évader et il est clair qu'il ne vous écoute plus. Lorsque vous aurez fini votre explication, il vous demandera alors de faire un résumé de tout ce que vous avez dit. En fait, ce qui est important pour le visuel ne l'est pas nécessairement pour l'auditif et inversement. Quant à l'auditif trop timide, il préfère se priver de l'explication plutôt que de la demander ou la cherchera de lui-même, par l'intermédiaire de livres ou de quelques amis.

Contrairement au visuel, lorsque l'auditif achète un nouvel appareil, il semble un peu plus discipliné, car effectivement, lui, lit les instructions avant de s'en servir.

● **Les caresses** : tout en étant plus tolérant aux caresses que le visuel, l'auditif, cependant, n'aimera pas les démonstrations d'affection. Il aura plutôt un air moqueur pour cacher sa sensibilité généralement trop à fleur de peau et très fragile à cet âge. Mais comme nous l'avons vu pour le visuel, c'est également l'âge, pour lui, de se bousculer avec ses amis.

● **L'échec** : chez l'adolescent auditif, l'échec peut prendre une dimension légèrement exagérée. C'est une grande honte et il se sentira déprimé. Il a l'impression d'avoir failli par rapport aux gens qui lui font confiance. Il n'ose pas aller spontanément vers ses parents, a tendance à se replier sur lui-même et tente d'éviter les gens qui pourraient être au courant de son échec. Il se sent coupable et aura tendance à se déculpabiliser en bousculant les choses plutôt que les gens.

● **La réussite** : l'auditif sait beaucoup de choses, mais n'est jamais sûr de savoir et, de ce fait, réagit assez bien à la réussite. Toutefois, s'il ne s'en vante pas, malgré tout, il s'attend à se faire dire qu'il est «bon», mais surtout qu'il est «intelligent». Une reconnaissance minime de sa valeur le garde valorisé pour une grande période. Il est capable cependant, si on lui demande d'énumérer ses réussites, de nous les nommer.

● **L'action** : l'auditif a beaucoup de difficulté à entrer en action ; c'est le penseur ! Si au moins les autres pouvaient le faire pour lui, ce serait tellement plus facile ! Il a beaucoup d'idées et s'arrange pour les exprimer au visuel, qui, à cet âge, s'empresse de les actualiser. En fait, avec 90 % de connaissances, il a l'impression de ne rien savoir et de ce fait attend, avant de se mettre à l'œuvre, d'en savoir plus, de peur de se tromper.

● **Le temps** : l'adolescent auditif a toujours tout le temps devant lui ; il nous dit volontiers : «ne cours pas, il n'y a pas le feu !» ou encore, si on lui demande d'aller plus vite, que c'est important : «bof...». De même, lorsque vous demandez à un auditif de faire quelque chose pour vous, il vous dira «d'accord» mais «demain». Mais c'est quand «demain»? En fait, il le fera lorsqu'il le voudra, selon ses priorités. L'auditif est beaucoup plus conscient que le visuel de la notion du temps. Si on lui dit qu'il doit attendre avant d'obtenir ce qu'il vous a demandé, il sera d'accord à condition de savoir combien de temps cela prendra ; il tentera alors de discuter en vue de raccourcir cette période. Quant à l'heure des rentrées, lors de soirées, généralement il la respectera à l'intérieur de votre tolérance.

● **La discipline** : pour l'adolescent auditif, «vive la vie de bohème». Mais comme tous les enfants de cet âge, il a besoin d'un minimum de cadre ou structure. Il a également, comme le visuel, besoin d'avoir ses points de repère qui lui assurent un minimum de sécurité. De toute manière, l'auditif se pliera à la discipline imposée mais a déjà sa propre discipline.

● **Le commandement** : lorsque l'on donne un ordre à l'adolescent, on a l'impression de parler dans le vide, autrement dit : «cause toujours mon lapin !». Toutefois, il l'exécutera à son heure, pour vous rendre service et s'il trouve que cela a du sens d'après lui. Il fait plus facilement confiance à l'expérience de l'adulte que ne le fait le visuel, mais il vérifie quand même avant d'acquiescer.

● **Le qu'en dira-t-on, l'apparence :** comme le visuel, l'auditif a un besoin d'appartenance au groupe et se sentira à l'aise «en jouant le jeu». Si toutefois il reçoit des félicitations, ou des critiques, concernant son apparence ou son langage, il les prend avec un «grain de sel» et se dit : «la prochaine fois, cela ira mieux». D'ailleurs l'auditif, à l'adolescence, est dans sa phase «confort». C'est beaucoup plus important que l'apparence et si les autres ne trouvent pas cela beau, et bien «tant pis» pour eux.

● **Devant la télévision :** comme tous ses amis, l'auditif aime la T.V., au point de s'avachir devant elle, et satisfait ainsi son besoin d'évasion. S'il vous dit qu'il écoute la télévision, croyez-le parce qu'au contraire du visuel, il l'écoute mais ne la regarde que d'un œil. S'il vous arrive de fermer la T.V., le croyant endormi, il vous dira «c'est dommage, c'était un bon programme»!

● **Vis-à-vis des bandes dessinées :** l'auditif, lorsqu'il en lit, s'intéresse d'abord au texte pour ensuite vérifier l'image, même s'il croit l'avoir déjà vue.

L'adulte visuel

● **Le message :** comme nous l'avons vu précédemment chez le bébé, l'enfant et l'adolescent, le visuel est hypersensible à la façon dont on s'adresse à lui, au point de ne reconnaître en premier lieu, dans un message, que l'expression du visage. Effectivement, le visuel vous regarde, et sa perception d'un message peut être complètement différente de ce qu'elle est réellement selon que l'on est sérieux ou souriant, car il donne la priorité à ce qu'il *voit* et non à ce qu'il *entend*.

Toutefois, le visuel, lorsqu'il vous passe un message et que vous ne le regardez pas, aura tendance, s'il se sent à l'aise, à vous dire : «regardez-moi, je vous parle».

● **L'explication :** le visuel aime une explication concrète, nette et précise. Le moindre détail a son importance. Pour lui, il faut mettre les points sur les «i». Si vous ne donnez pas d'explication éclairante, c'est généralement lui qui demandera d'illustrer ce que vous tentez de lui dire. Le visuel comprend mieux le message s'il se double d'images qui pour lui concrétisent ce dernier. Par exemple, si vous donnez une explication par téléphone à un visuel, d'après le ton de sa voix, la réponse qu'il vous donne, il est facile de savoir s'il vous a compris ou non.

● **Les caresses :** le visuel, même à l'âge adulte, ne raffole pas des caresses. Il les tolère lorsqu'elles sont demandées par lui-même, et encore, pas trop longtemps. Par contre, c'est l'adulte qui aime toucher et qui a besoin de caresser. Il semble d'ailleurs que, pour le visuel, le toucher est le prolongement de l'œil.

● **L'action :** le visuel sent le besoin de bouger, d'agir. Aussitôt dit, aussitôt fait. Il ne prend pas le temps de penser s'il a tout ce qu'il faut pour agir. Est-ce le bon moment?... Sait-il comment s'y prendre? «NON»! Il agit, quitte à corriger ou aller chercher ce qui lui manque en cours de route. Surtout, ne blamez pas le visuel; n'est-il pas dit que «l'on apprend de nos erreurs» qu'on soit visuel ou auditif?

● **Le temps :** pour le visuel, rien ne va assez vite. C'est la personne aux décisions rapides. Il n'a jamais le temps d'attendre. Il saute sur les moyens à portée de main, d'œil ou de voix et, peu importe leur pertinence à long terme, il passe à l'action. S'il a un problème, il faut qu'il se règle tout de suite, car demain, il sera trop tard. Si par hasard l'auditif dit au visuel de miser sur le temps, car bien souvent la réflexion aide à corriger les choses, le visuel reproche à l'auditif d'être trop lent, de ne pas prendre de décisions rapides ou de ne pas être réaliste. De plus, ajoutons que le visuel a besoin de savoir combien de temps prend une action, la durée d'un problème et les étapes à parcourir pour le régler. Le visuel étant une personne vivant dans le présent, c'est-à-dire un être instantané, il est amené à être inquiet de ce qui peut se passer dans vingt ans.

● **La discipline** : celle-ci demeure de rigueur même à l'âge adulte. En fait, le visuel a besoin d'un cadre de référence, d'une structure. Il se sent bien lorsqu'il y a une certaine routine, mais cela n'empêche pas qu'il puisse être un individu rempli de fantaisies. D'ailleurs, si nous maintenons notre visuel dans trop de routine, il criera grâce afin qu'on lui donne la chance de faire autre chose. Mais n'oublions pas que, pour certaines choses, le visuel doit conserver une structure. Par exemple : c'est souvent le visuel qui exigera que l'heure des repas soit respectée et que tout le monde soit à table en même temps. La fantaisie se découvrira dans l'apparence de la table ou du repas, et à ce niveau, il peut avoir sa période traditionnelle ou sa période romantique, comme le souper aux chandelles!

● **Le commandement** : l'adulte visuel n'aime pas être commandé ou dirigé. La crainte de n'être pas à la hauteur de la tâche l'amène à être le premier à commander les autres. Et quand il commande, il est porté à employer un mode direct. Le visuel doit être tellement utile qu'il lui arrive de se sentir obligé de tout faire lui-même, hélas! Mais encore une fois, n'oublions pas que, pour le visuel, la présentation d'un commandement doit avoir la forme d'un «souhait».

● **L'échec** : le visuel, qu'il soit enfant, adolescent ou adulte, éprouve toujours de la difficulté à accepter de ne pas réussir du premier coup; il se déprécie immédiatement et si, de plus, nous lui faisons remarquer son échec, il se sent deux fois plus inapte à réussir et n'accepte pas toujours de recommencer la même action. Nous savons que le visuel peut admettre assez facilement l'erreur de jugement, mais il n'accepte qu'avec difficulté l'erreur de sentiment. Par exemple : si un patron dit a son employé visuel, «je ne suis pas content de ce manquement, je t'appréciais pourtant», le visuel se sentira abandonné et malheureux!

● **La réussite** : le visuel qui n'apprend pas à s'auto-évaluer et qui continue à se fier aux réactions des autres, peut ne pas croire objectivement à sa compétence. Il aura tendance à se sous-estimer ou tout au contraire, à affirmer que c'est lui « le meilleur ». Généralement, il savoure l'actualisation de son potentiel dans des projets à court terme. De plus, il trouvera toujours le moyen de vous en faire part, soit par son attitude, soit en cours de conversation.

● **Le qu'en dira-t-on et l'apparence :** le visuel reste très sensible à l'apparence des choses ou des gens. Il a tendance à s'habiller à la dernière mode même si celle-ci n'est pas toujours confortable et, afin de plaire aux autres, il lui arrive de laisser aller un peu de son confort. Cette perte est compensée largement, puisque dans son idée, il lui est indispensable de plaire. S'il a l'impression qu'il a pu déplaire, c'est la catastrophe. Il hésite à reprendre la communication. Par exemple : le voisin dit « bonjour » chaque jour au visuel, lorsqu'il le croise sur le palier. Mais un matin, il passe à côté de lui sans rien dire. La première question que se pose le visuel est : « Que lui ai-je fait ? » Il ne pense pas que la personne puisse être préoccupée au point de ne pas l'avoir vu. Il se sent responsable de l'attitude de l'autre. C'est l'apparence qui compte, mais dès qu'il est conscient du phénomène, le visuel accepte les différences d'apparence et ne prend, dans le « qu'en dira-t-on », que ce qui convient.

● **La concentration :** observons le visuel et nous pouvons remarquer qu'il peut se concentrer profondément, bien qu'à certains moments il semble vérifier ce qui se passe autour de lui. La moindre chose le dérange ou contribue à le déconcentrer. Cependant, l'apprentissage permet d'allonger le temps de concentration, mais il lui arrive encore, malgré tout, de se déconcentrer lui-même.

Imaginons la scène qui suit : au beau milieu de la lecture d'un livre passionnant, le visuel dit à son conjoint : « fais-moi penser que je dois faire telle chose tout à l'heure ». Cette remarque passée, il se replonge dans sa lecture. Quelques minutes s'écoulent et c'est à nouveau l'interruption. Cette fois-ci, il se perd en conjectures sur la façon de régler certains problèmes. Puis il reprend enfin son chapitre, ne se souvenant pas de ce qu'il a lu. Finalement, il ferme le livre en disant : «il n'y a pas moyen de lire ici, pas moyen de se concentrer». En fait, personne n'a dérangé le visuel, mais celui-ci ayant toujours les idées en bataille, doit les émettre sitôt pensées et, s'il le pouvait, les émettre toutes à la fois.

Je cite un autre exemple : vous lisez à voix haute une lettre à un visuel qui vous écoute attentivement; à la fin de la lecture, il vous demandera de lui montrer la lettre et la relira pour la visualiser. Ainsi le visuel, pour éviter l'éparpillement, source de déconcentration, peut se structurer au moyen de points de repère concrets tels que la constitution d'un fichier, la programmation et l'élaboration d'un schéma.

● **La verbalisation :** en situation de confiance, le visuel étant considéré comme un extraverti, a tendance à être volubile. Il dit spontanément ce qu'il ressent et dès qu'il le ressent. Exemple : le visuel regarde la télévision et certaines images le choquent. Il donnera immédiatement ses impressions à voix haute, au désespoir d'un voisin auditif qui, lui, écoute... Le visuel ne prend conscience qu'il peut déranger cette personne qu'au moment où celle-ci lui dit : «chut! j'écoute!!!» Toutefois, il termine ce qu'il a à dire, de peur de perdre cette idée. Le visuel est d'ailleurs très expressif. Ainsi lorsque tout va bien, il est de bonne humeur et boute-en-train, mais lorsque ça va mal, on le dirait prêt à démoraliser une armée. Non seulement les faits sont verbalisés, mais encore, l'expression du visage confirme ses dires. Par ailleurs, en situation de non-confiance, il a tendance à se replier sur lui-même. Dans les deux cas, le visuel peut être très vite anxieux ou angoissé, mais une intervention positive ou l'explication donnée par d'autres, le rassure tout aussi rapidement. L'image de l'angoisse et celle de la bonne humeur peuvent donc alterner successivement chez le visuel.

● **Les conférences :** s'il n'y a pas une dimension visuelle à la présentation d'une conférence, vous voyez, à un certain moment, une partie de l'assemblée se mettre à bâiller, se gratter la tête ou gigoter sur les chaises en signe d'ennui.

Ce n'est pas toujours que le conférencier soit ennuyeux, mais plutôt que les visuels ne voient plus le cadre de référence e; ils perdent donc le fil du discours. Aussi les démonstrations théoriques abstraites ont intérêt à être doublées d'équivalents visuels. Il ne faut pas oublier également que, pour le visuel, le même mot peut avoir des significations bien différentes; aussi, s'il y a des «images», il ne risque pas d'interpréter de façon erronée la présentation verbale.

● **Le changement** : le visuel s'enthousiasme face au changement et s'implique dans l'action le premier. Mais attention! le premier moment de curiosité passé, il se fatiguera de ne pas pouvoir prévoir les étapes et essayera de contrôler le changement à tout prix.

L'adulte auditif

● **Le message** : pour l'auditif, comme nous l'avons mentionné déjà pour l'enfant et pour l'adolescent, le message verbal passera, indépendamment du ton ou de l'intensité de la voix. Peu importe l'expression du visage, qu'il ne verra même pas, car l'auditif n'a pas tendance à regarder son interlocuteur. Toutefois, comme nous avons appris qu'il n'est pas poli de ne pas regarder la personne qui parle, l'auditif nous dit que regarder trop son vis-à-vis, le distrait au point qu'il est difficile, pour lui, d'intérioriser et de comprendre le message, car c'est le *contenu*, et non la *forme* du message, qui importe.

● **L'explication** : l'auditif aime avoir une explication courte mais bien synthétisée. Il criera grâce en vous demandant d'abréger si, toutefois, vous aviez l'intention de donner force détails. Ce n'est pas la personne qui demande un dessin ou un schéma pour comprendre; d'ailleurs, l'abstrait ne le dérange pas. Par exemple, lorsque vous expliquez un itinéraire par téléphone à un auditif, celui-ci se rendra à destination si vous pouvez lui donner la direction et le kilométrage approximatif.

● **Les caresses :** l'auditif, généralement, accepte de bonne grâce les caresses. Souvent, c'est le moyen pour lui de se détendre et de se relaxer. La meilleure façon de rassurer un auditif est d'ailleurs de le prendre dans les bras ou de lui poser la main sur l'épaule ; il n'est pas toujours nécessaire de parler.

● **L'action :** l'auditif n'a pas tendance à agir spontanément ; c'est plutôt le «maître penseur» ; souvent il a l'idée de... et le visuel pourrait agir selon l'idée de l'auditif. En fait, l'auditif, lorsqu'il passe à l'action, c'est généralement après mûre réflexion et ayant tous les outils en mains.

● **Le temps :** l'auditif doit toujours avoir du temps devant lui, surtout avant d'agir. C'est la personne des décisions à long terme, celle qui se dit : «la nuit porte conseil», ce qui l'amène d'ailleurs à reprocher au visuel d'être trop expéditif, de ne pas prendre le temps de réfléchir. Le visuel, quant à lui, reproche à l'auditif d'être trop lent, de ne pas agir assez vite. Aussi, certains auditifs nous disent avec humour, pour justifier leur lenteur, qu'une grossesse chez l'humain prend neuf mois, et d'autres auditifs renchérissent que chez l'éléphant elle prend deux ans. De toute manière, les gens des deux profils peuvent être perdants face au temps, car le visuel, étant trop rapide peut «mettre les pieds dans les plats» et ne pas toujours réussir à «les retirer» à temps, la situation étant déjà réglée, alors que l'auditif prend tellement de temps pour penser aux différentes variables que le problème est résolu avant qu'il n'ait eu le temps d'agir.

● **La discipline :** chez l'auditif, on note une discipline globale, c'est-à-dire un cadre et une structure souples. Pour autant que les règlements soient respectés, peu importe la manière dont ils le sont. Il aime avoir une certaine liberté pour ses agissements. En réalité, la façon dont on fait les choses n'est pas primordiale, pour autant qu'elles soient faites et bien faites.

● **Le commandement :** l'auditif accepte de bonne grâce la

dominance du visuel face au commandement, mais ne croyez pas que c'est «un suiveur». Il a ses propres normes et se sent à l'aise d'accepter ou de refuser un ordre, faisant confiance à l'autre jusqu'à preuve du contraire. Il peut d'ailleurs être perfectionniste, mais sans en arriver à l'obsession du détail, comme le visuel, ce qui permet à l'auditif de déléguer plus facilement une partie de la tâche et donner ainsi l'impression de souplesse qu'on ne retrouve pas toujours chez le visuel. Contrairement au visuel, il ne prendra pas un souhait pour un ordre, considérant plutôt cela comme une incertitude, et souvent attendra le commandement précis, qui risque de ne jamais arriver!

● **L'échec** : l'auditif, peut importe la période de sa vie, est toujours déçu par l'échec, mais il accepte quand même de recommencer la tâche manquée. Il n'a pas l'impression, comme le visuel, d'être un «incapable» même quand il échoue, mais il accepte difficilement ce qu'il considère comme une erreur de jugement. Toutefois, la crainte de l'échec ne l'empêche pas de produire d'emblée. Lors d'un échec, d'ailleurs, l'auditif a tendance à se renseigner afin d'obtenir d'autres moyens de réussite. Sa timidité, cependant, dans certaines situations, peut l'empêcher de consulter.

● **La réussite** : l'auditif a sensiblement moins besoin que le visuel de l'approbation de ses pairs. Il peut déterminer, d'après ses critères, s'il a réussi ou non. Cependant, dans certains cas, il peut arriver à l'auditif de se sous-estimer face aux réussites concrètes et immédiates du visuel. Il s'actualise davantage dans des projets à long terme. Une reconnaissance de ses pairs, face à sa réussite, peut être, pour l'auditif, valorisante et très appréciée.

● **Le qu'en dira-t-on et l'apparence** : l'auditif est nettement moins sensible au qu'en dira-t-on et à l'apparence. Il ne veut pas déplaire. Il préfère rendre service; aussi, s'il croit déplaire, il a pour principe que ce n'est pas grave et qu'en s'y prenant autrement à la prochaine occasion, il aura la chance de plaire. Par exemple, si un voisin ne lui dit pas «bonjour» un matin alors qu'il le salue habituellement, il se dit que la personne est préoccupée, ne l'a pas vu et, de ce fait, ne se sent pas mal à l'aise vis-à-vis de cette personne. L'auditif étant plus personnel peut alors reprendre la communication.

Dans le même ordre d'idées, il n'a pas tendance à suivre la mode à la lettre; c'est le confort qui compte d'abord et avant tout. Cependant, à la demande du visuel et pour lui plaire, il portera une attention particulière à sa tenue vestimentaire.

● **La concentration** : l'auditif peut se concentrer au point de ne plus rien entendre ni voir. Tout peut crouler autour de lui et nous avons l'impression que notre auditif n'en est pas conscient au point de continuer la tâche commencée. Par exemple : à la lecture d'un livre, l'auditif continuera à lire peu importe ce qui se passe. Aussi, combien de visuels se plaignent que leur conjoint, auditif ne répond pas lorsqu'ils s'adressent à lui pendant sa lecture. D'ailleurs, nous savons que si un visuel parle à un auditif et que celui-ci ne le regarde pas, il a l'impression de ne pas être écouté. Je vous donne un autre exemple : à la fin d'une première entrevue avec un de mes patients, je suis allée expliquer son cas au docteur Lafontaine qui, lui, pendant ce temps, continuait à écrire. Aussi j'attendais qu'il me regarde. Mais tout en continuant à écrire, il me posa la question suivante : «Béatrice, qu'attendez-vous?» et moi de lui répondre : «Docteur, je vous ai parlé, mais vous ne m'avez pas écouté!». Il leva alors la tête et, me regardant en souriant, me répondit : «N'oubliez pas que je n'ai pas besoin de mes yeux pour vous entendre!». Et voilà ce que vous répondra un auditif si vous êtes visuel et que vous lui posez ce genre de question!

● **La verbalisation** : l'auditif de nature est considéré comme un introverti, car il a tendance a tout intérioriser; de ce fait il s'exprime peu et, dans certains cas, pas du tout. S'il est dans une situation de non confiance, il sera cette personne impassible, très fermée qui accumule les impressions. Mais attention à l'explosion lorsque la goutte fait déborder le vase : il peut alors s'exprimer avec un débit rapide et parfois les paroles dépasseront sa pensée. Le tout est généralement de courte durée. Cependant tout ce qui a été accumulé est verbalisé et ceci indispose le visuel qui se demande à ce moment-là ce qu'il a fait et se sentira mal à l'aise un bon moment. Aussi, la meilleure recommandation à faire à un auditif, dans cette situation est de lui demander d'exploser plus souvent et moins fort ; c'est moins impressionnant pour le visuel !

Quant à l'auditif confiant, il peut parler de ses problèmes en sautant du coq à l'âne, ce qui déroutera le visuel. Mais c'est par son monologue circulaire qu'il donne une forme logique linéaire à sa pensée.

L'auditif se déprime lentement au fil de l'accumulation des déceptions. Il est clair qu'il est plus difficile à rassurer ou à remonter que le visuel puisqu'il intériorise ses sentiments et ne les exprime pas. C'est dans les moments dépressifs que l'auditif se cantonne dans le mutisme. Par exemple, la descente vers la dépression ou l'angoisse ne se fera que par étapes ou paliers, telles les marches d'un escalier. Cela se fera inversement pour la remontée.

● **Les conférences** : c'est le meilleur auditeur, celui qui savoure un conférencier dynamique avec une voix agréable et un sujet intéressant. Point besoin d'image ou de schéma, il lui suffit d'entendre. C'est le genre de personne qui sort de la conférence en disant : «c'était formidable». Par contre, si la conférence ne semble pas l'intéresser, l'auditif ne se gênera pas pour sortir. Il se trouvera une «bonne» raison pour cela. Et aussi, n'oublions pas que pour l'auditif, le mot, c'est une idée, donc il sera plus impressionné par l'esprit que par la lettre, et appréciera la conférence si celle-ci l'enrichit au point de vue des idées et non des mots !

● **Le changement** : l'auditif, quelque peu sceptique, attendra la suite des événements avant de s'impliquer dans un changement. Mais convaincu de la nécessité de celui-ci, il sera le premier à encourager le changement après en avoir trouvé les modalités d'action.

Les enfants auditifs et visuels face aux adultes

La mère représente la sécurité, le foyer ; le père, les exigences du milieu extérieur à la famille.

Mais, les parents étant complémentaires, ils auront aussi une manière différente de percevoir, et partant, de résoudre, les problèmes de leurs enfants.

Il en va de même en ce qui concerne les professeurs, les grands-parents et tous les intervenants qui peuvent influencer l'enfant.

Voyons comment une meilleure prise de conscience du concept des auditifs et des visuels peut aider à l'harmonie dans la communication.

Trois niveaux de compréhension

Passons en revue les rôles que nous avons à jouer dans une vie. Ils diffèrent selon que nous sommes homme ou femme, selon la génération dans laquelle nous vivons et l'époque de la vie où nous nous trouvons. Toutefois, nous pouvons remarquer que si ces rôles masculin et féminin sont différents, ils sont toujours complémentaires.

Si nous observons les agissements des deux parents, nous remarquons qu'ils ne procèdent pas de la même façon pour arriver au même but, ce qui permet à l'enfant d'obtenir deux éléments de solution. Nous savons aussi qu'en premier lieu, l'enfant a tendance à prendre le mode du parent correspondant, et au besoin celui du parent complémentaire à partir du moment où il a reconnu les styles différents de ses parents.

Mais nous devons également reconnaître une autre dimension, non pas la moindre, qui nous fait dire que «**les réactions de tout individu se situent toujours à un des trois niveaux de fonctionnement du cerveau, indépendamment des profils**».

On peut comparer ces trois niveaux à trois ordinateurs superposés et imbriqués les uns par rapport aux autres.

● **Le premier niveau,** celui de *la survivance,* permet à l'individu de respirer, sentir la chaleur ou le froid, répondre à ses besoins de manger, dormir, etc...

● **Le deuxième niveau,** celui de *l'accumulation* des données, nous autorise à emmagasiner l'information reçue par nos sens, qu'elle soit sécurisante ou insécurisante.

● **Enfin le troisième** niveau et non le moindre, nous amène à *interpréter* et *sélectionner* l'information pour l'intégrer selon nos priorités.

Donnons ici quelques exemples.

● Le parent correspondant identifie chez son enfant **la source du problème,** mais les solutions présentées pourront être de trois niveaux différents. Dans une situation où l'enfant et le parent correspondant se sentent menacés (par exemple : le parent qui dit : «je démissionnerais si j'avais comme «boss» ce professeur, ce médecin, ce chauffeur etc...), le conseil alors donné sera vraisemblablement un moyen de défense alors que le parent complémentaire, n'étant pas dérouté par sa façon de voir les choses, aura tendance à démystifier la situation pour autant qu'elle demeure dans des limites acceptables pour lui.

● A un deuxième niveau, on remarque que face à l'enfant qui présente une difficulté, les parents complémentaires ne voient pas le même **aspect du problème;** leur analyse se traduit de façon différente. Je vous donne un exemple : un jour nous recevions un enfant ayant un trouble de la démarche. Sa mère nous demanda immédiatement si cela pouvait provenir du cerveau. Son mari lui donne un coup de coude et lui dit : «Mais non, tu sais bien que c'est les pieds!» Les deux parents, ici, auraient pu avoir raison. Ils étaient tous deux inquiets. Mais en raison de leur complémentarité, ils n'ont pas invoqué la même cause. Ils sont venus chercher l'information.

● Quant à la troisième étape, celle de la **recherche d'une solution** adéquate au problème, le parent correspondant «verbalise» pour lui-même, mais devant l'enfant, comment il s'y prend pour s'accommoder d'une telle situation. Le parent complémentaire, lui, encouragera son conjoint dans sa démarche, mais par la suite invitera l'enfant à vérifier l'hypothèse que lui-même soulève, en accord avec son profil et son expérience.

Par exemple, le parent correspondant se met à la place de l'enfant, évoque les craintes qu'il a pu avoir ou qu'il a encore face à certaines gens ou situations et le rassure en disant quelque chose comme ceci : «lorsque j'étais petit, je me rappelle avoir eu peur ou avoir été intimidé par tel professeur; son air ou son attitude m'impressionnaient au point d'avoir hâte de retourner à la maison et c'est alors qu'on m'a fait prendre conscience que l'attitude d'une personne n'exprime pas toujours ce que je croyais à première vue; on m'a ainsi appris à découvrir et comprendre les différentes façons d'être des autres...».

Dans une situation non vécue par le parent parce que le contexte de notre société moderne a changé, nous demandons à celui-ci d'imaginer la situation vécue par son enfant, d'entrevoir ses réactions et de chercher les solutions. Dans la plupart des cas, nous allons jusqu'à lui demander d'aller «sentir» le milieu en parcourant les situations de vie où l'enfant peut se sentir mal (ex. la rue, l'autobus, certaines activités non structurées, etc.), ou encore, on lui demande de faire partie d'un groupe de gens qu'il connaît peu. Le parent explique alors à l'enfant, à la manière d'un jeu, comment il réagirait lui-même et quelles solutions il prendrait pour s'organiser dans une telle ambiance. On peut être certain que l'enfant va vérifier assez rapidement les solutions proposées. Ses réactions nous permettront d'ajuster nos explications à son niveau.

● **L'erreur à éviter** est de parler directement à l'enfant car le visuel, se croyant fautif, peut se sentir visé et ne pas comprendre le message, tandis que l'auditif pour ne pas déplaire, n'osera pas poser les questions qui lui permettraient d'adapter les solutions à son niveau.

Par exemple : un père visuel vis-à-vis de sa fille visuelle a utilisé l'expression «quand j'étais petit comme toi, etc...». Le fait d'avoir employé les mots «comme toi» impliquait directement l'enfant qui s'est sentie visée et il est apparu au père que le message qu'il voulait passer n'a pas été compris comme il l'espérait.

Quant à l'enfant auditif, il risque, dans le même cas, d'avoir l'impression d'ennuyer l'autre. Il ne cherchera pas à demander plus de précision, surtout si c'est le parent visuel qui s'adresse à lui.

Comme nous le disons souvent aux parents, il ne faut pas avoir peur de raisonner à haute voix, même si nous croyons que le vocabulaire employé est trop compliqué pour l'enfant. L'enfant étant notre baromètre, il «comprend» ce que nous disons, à l'exemple du bébé que la mère endort en lui racontant une histoire.

Lors des consultations, c'est généralement la mère qui expose le problème. Elle a tendance à consulter plusieurs médecins pour se faire donner des avis différents, à questionner pour se faire rassurer, mais le père, dès qu'il sent qu'on peut aider, participera activement au traitement.

Lorsque le père est visuel, il nous avoue alors que c'est lui qui s'est inquiété le premier, mais par éducation, laissant les enfants à maman, il préfère que ce soit sa femme qui nous consulte. Je tiens ici a faire remarquer qu'effectivement le parent visuel est plus vite inquiet, mais également plus vite rassuré, à condition que nous répondions adéquatement à ses questions.

Le parent auditif s'inquiète ordinairement moins vite car il met sa confiance dans le temps et, pour la même raison, il est plus long à convaincre.

Le parent visuel a tendance à être ce qu'on appelle familièrement une «mère poule» ou un «papa gâteau». Exemple : le parent visuel prévient son enfant visuel de prendre garde au cadre de porte. Il est à peu près certain que l'enfant ira heurter ce même cadre lorsqu'il partira pour aller voir quelque chose qui l'intéresse. Le parent visuel, s'il le pouvait, voudrait écarter le cadre de porte, tandis que le conjoint auditif dira à l'autre; «Il faut qu'il se cogne pour savoir qu'il y a un cadre de porte sur son trajet». Le parent auditif, dans certains cas, risque de se faire reprocher de n'être pas assez «maternel».

La cellule familiale

Définissons donc maintenant le rôle respectif de la mère et du père.

La mère

Elle représente la sécurité de base (premier niveau et dernier espoir), une constante qui se traduit par une permanence physique ou psychologique, c'est-à-dire que lorsque l'enfant est dans une situation de panique, c'est à la mère qu'il s'adresse pour se faire rassurer.

Par exemple : un enfant qui se fait mal, qui a peur, ou qui est en détresse, crie «maman» et même si celle-ci n'a pas la solution, elle prend son petit contre elle, le cajole et l'enfant s'apaise aussitôt.

Dans des situations d'éloignement où l'enfant ne peut voir sa mère, celle-ci va le rassurer en lui disant : «il est vrai que tu ne peux pas voir maman, mais n'oublie pas que maman, dans sa tête, te voit tout le temps et a confiance car elle sait que tout ira bien». Cela rassure l'enfant et il parvient à avoir l'attitude qu'on attend de lui. Nous nous rendons compte que la présence psychologique de la mère est autant et parfois plus importante que la présence physique pour rassurer un enfant.

Il n'en est pas de même pour le père qui, lui, «explique ce qui s'est passé, et surtout ce qui va se passer ensuite». Spontanément, le père, dans la famille traditionnelle, a tendance à «parler» à son petit dans ce genre de situation.

Le père

D'après le rôle qu'on lui attribuait jadis, le père se sentait obligé d'incarner l'autorité, l'exigence. Dans cette optique, les contraintes de la société étaient amenées au foyer par le père. Il représentait également la sécurité matérielle. Dans ce contexte, l'enfant obéissait plus facilement et plus vite au père qu'à la mère.

Par exemple, c'est le moment de passer à table pour le dîner et la mère demande à son fils ou sa fille d'aller se laver les mains. La première réponse de l'enfant est «oui-oui» mais il continue son activité. Elle revient sur son ordre, mais cette fois, pas de réponse de l'interpellé. Elle réitère une fois de plus la question, mais en élevant la voix; l'enfant reste imperturbable. Finalement, la mère s'approche de son enfant, le prend par le bras et lui dit alors : «Tu as compris, je t'ai dit trois fois d'aller te laver les mains». Embarrassé, le petit obéit, mais en maugréant : «Tu ne comprends pas que je n'ai pas fini. Tu n'est plus gentille, je ne t'aime plus, je ne suis plus ton ami, etc...».

Par contre, dans les mêmes circonstances, si le père dit à son fils ou à sa fille d'aller se laver les mains — il le leur demandera peut-être deux fois — l'enfant regarde son père, puis sa mère pour chercher une complicité, mais obéira instantanément.

L'interprétation de l'attitude paradoxale de l'enfant est la suivante : même si l'enfant dit *non* à maman qui représente la sécurité de base, cela ne porte pas préjudice à l'autorité du père.

Complémentarité et complicité

En d'autres circonstances, si papa exige une chose que l'enfant n'est pas capable de réaliser, il peut avoir recours à la mère et lui demander comment faire. Si la complémentarité n'est pas actualisée, l'enfant a tendance à «manipuler» les deux parents, se sentant «pris» entre les deux. Il réagira en canalisant son agressivité contre lui-même ou vers l'extérieur, à la manière du parent correspondant.

Face à une telle situation, «la recette» est bien simple; il suffit que la mère interprète l'exigence en disant à l'enfant : «Papa *nous* demande de faire telle chose aujourd'hui», ce qui veut dire : «Si tu ne peux pas le faire, je peux t'aider». Il est clair qu'elle ne va pas appeler son mari toutes les cinq minutes pour savoir que faire avec le petit ou quoi dire, surtout s'il est absent de la maison. Nous savons que les mères peuvent avoir autant d'autorité que le père pour autant que le message soit indirect et que la complicité soit plus du côté du père que de celui de l'enfant qui, lui, souhaite que ses parents soient heureux.

Face à la réprimande, le principe est le même mais doit être interprété immédiatement, de façon à ce que l'enfant prenne conscience qu'on lui donne le temps de se reprendre. Il suffit de dire à l'enfant qui a fait une erreur : «Si papa nous voyait, il ne serait pas content de NOUS (autrement dit : «nous avons le temps de corriger les choses»). Il ne faut jamais dire : «Attends que ton père arrive», car pour l'enfant, le père serait alors présenté comme un «dur», un «ogre» et cela devient insécurisant ou angoissant pour lui d'attendre le retour de son père sans savoir ce qui va se passer au moment où il sera là, d'autant plus qu'il risque d'avoir oublié l'incident, sa notion du temps vécu ne correspondant pas à la mesure du temps chez l'adulte. D'ailleurs, il y a lieu de se demander qui, de maman ou de l'enfant, aura la sympathie du père. Sans la connaissance des faits réels, sans la notion intuitive ou consciente des profils et sans une idée de la perception que l'enfant a du rôle des parents, il est difficile, pour le père, de faire la part des choses.

En résumé, pourquoi demandons-nous à la mère de dire : «Papa NOUS demande etc...»? Le NOUS veut dire, que la mère, cherchant à sécuriser son petit en étant complémentaire à papa, est capable de lui expliquer l'erreur, d'autant plus que si le père entrait au moment où l'enfant fait sa gaffe, il pourrait très bien, comme cela arrive assez souvent, s'adresser d'abord à sa femme en lui reprochant : «Comment se fait-il que ton fils ou ta fille fait telle chose?» L'enfant devient à ce moment-là, le rejeton du conjoint confiné avec le problème, alors qu'habituellement, dans les bons moments, il est l'enfant des deux parents. Remarquons qu'il est plus facile, pour l'adulte, de s'adresser en premier lieu à son conjoint et ensuite de passer le message à l'enfant.

Nous rappelons donc qu'il est préférable que le père

s'adresse à sa femme lors d'une explication ou d'une réprimande, mais en présence de l'enfant, comme s'il s'agissait d'un dialogue entre les deux.

Le substitut parental

Dans les foyers où un des deux parents est remplacé, nous constatons que l'enfant s'identifie aussi bien avec le substitut parental qu'avec le parent biologique. Effectivement, comme nous l'avons déjà mentionné, un couple est *toujours* complémentaire ; aussi, lorsqu'il se reforme pour diverses raisons, il se trouve à refaire la complémentarité, ce qui permet à l'enfant de s'identifier d'une manière ou d'une autre.

Le substitut parental, selon qu'il est père ou mère, a le même rôle à jouer que le parent biologique. Nous savons d'ailleurs que l'enfant s'identifie aux personnes avec qui il vit. Aussi, s'il s'agit du substitut maternel, cette personne doit être sécurisante, valorisante comme le serait la mère qui a porté et mis cet enfant au monde.

Il arrive trop souvent que la personne remplaçant la mère a peur de se tromper et n'ose pas s'impliquer complètement, par peur de se faire dire qu'elle n'est pas la mère. Si, effectivement, la mère naturelle est encore en présence de l'enfant à différentes occasions, il y a lieu d'expliquer clairement la situation à l'enfant tout en ne le mettant pas en position de «juger» l'un ou l'autre des parents. Car, ne l'oublions pas, l'enfant veut voir ses parents heureux peu importe la situation. Plus nous expliquons à l'enfant le «pourquoi», plus il se sent à l'aise de composer avec son entourage et de respecter le rôle de chacun.

Il en est de même lorsqu'il s'agit du substitut paternel ; celui-ci prend alors le rôle d'autorité, d'exigence dévolu au père biologique. Et la plupart du temps, l'enfant se sent en confiance, car quelqu'un s'occupe de lui.

Mais attention ! si le substitut parental ne prend pas conscience des différences de profil et de toute la complémentarité qui joue dans une famille, il peut être complètement à côté de la question et c'est alors qu'il a des difficultés à se faire accepter par les enfants.

Le mono-parent

Pour un enfant, dans une famille mono-parentale, il n'est pas facile de vivre et de comprendre son profil de base, l'enfant voulant toujours s'identifier à la personne avec qui il vit. Il découvrira plus tard la nuance des profils car il est moins vite exposé aux deux styles que l'enfant qui a ses deux parents.

Si, au départ, l'enfant a pu vivre avec ses deux parents, et qu'à un certain moment il ne se retrouve qu'avec un seul des deux, il est important que le parent et l'enfant soient conscients de la correspondance et de la complémentarité des profils afin de garder des bonnes relations entre eux. Par exemple : un enfant de style auditif n'a plus que le parent de style visuel; si la complémentarité n'est pas comprise, il pourrait arriver que le parent impose son profil à l'enfant. Au début, l'enfant, pour faire plaisir, copiera les attitudes du parent, mais ensuite, il ne se sentira jamais à l'aise par rapport à ces attitudes, car ce n'est pas ce qu'il ressent.

Donc, on risque de se retrouver avec un enfant présentant certains problèmes, que la plupart des intervenants appelleront «troubles d'adaptation», ou encore, l'enfant sera classé comme «mésadapté socio-affectif». Et pourtant!... nous savons que cet enfant ne demande qu'a pouvoir «être lui-même». Aussi, donnons-lui cette chance, en lui expliquant ce qui est et comment cela se passe.

Quant à l'enfant de mère célibataire, on pourrait croire qu'il prendra automatiquement le profil de sa mère vu qu'il n'y a pas de complément. Mais, dans les faits, ce n'est pas toujours ce qui arrive. Nous avons remarqué, lors de nos observations, que certains enfants de mère célibataire avaient pris le profil de la personne qui s'occupait d'eux, ou qui était rassurante pour la mère, dans les premiers temps après la naissance.

Nous avons également cru remarquer, dans des familles

composées d'une mère célibataire mais ayant plusieurs enfants, que l'alternance des profils se ferait comme dans les familles où il y a les deux parents. Ce critère est encore actuellement à l'étude et fera l'objet d'un rapport éventuel.

● **En tant que mono-parent, comment agir vis-à-vis de l'enfant?**

Nous savons qu'il est plus difficile, pour un parent seul, d'expliquer à l'enfant qu'il est habituellement soumis à plusieurs modes de communications et comment y faire face. Alors, nous conseillons au mono-parent de se servir de quelqu'un de sa famille d'origine ou d'amis (famille élargie) ayant le profil correspondant ou complémentaire selon le cas, pour expliquer à l'enfant un autre comportement possible face à certaines personnes ou situations.

Quand il s'agit de faire accomplir une tâche à l'enfant, nous conseillons d'employer la *valorisation*. Par exemple : la mère qui demande à son enfant de lui rendre service, doit s'y prendre de la manière suivante : «cela ferait plaisir à maman et cela lui rendrait bien service si tu faisais telle chose. Je sais que tu le fais très bien, que tu en es capable, alors me rendrais-tu ce service?» Généralement, l'enfant ne refuse pas l'exigence.

Quand il s'agit du père, lui aussi doit passer par la valorisation, pas dans le but de l'exigence mais plutôt en tant que personne rassurante et il peut s'exprimer de la façon suivante : «c'est vrai que nous avons des difficultés dans cette situation, mais comme nous sommes deux et que je suis «grand» maintenant, nous pouvons ensemble arriver à faire face à cette situation.» Et ainsi de suite...

Voilà donc les quatre grands rôles de la cellule familiale, mais dans l'entourage de l'enfant, il n'y a pas que des parents, il y a aussi d'autres personnes qui gravitent autour d'eux. Aussi, parlons des intervenants.

L'intervenant

Le «babysitter»

Le babysitter étant une personne étrangère, idéalement, celle-ci devrait être du profil de l'enfant, de façon à ce qu'il ne se sente pas trop dérouté par un changement de langage. Il n'est pas rare que la gardienne se fasse obéir plus facilement que les parents. Effectivement, étant étrangère par rapport à l'enfant, celui-ci se sent obligé de jouer le jeu sachant que la situation est temporaire et considérant que la sortie est essentielle pour les parents. Devant leurs parents, les enfants peuvent se permettent d'être ce qu'ils sont habituellement, soit «de bons petits diables».

Pour qu'un babysitter soit efficace, il est préférable de s'adresser toujours à la même personne de façon à ce que l'enfant soit habitué à un style et à un seul transfert d'autorité. D'ailleurs, lorsque les parents doivent s'absenter plusieurs jours, idéalement, le babysitter devrait être ou faire partie de la famille, afin que le changement ne soit trop grand et de plus, il faudrait veiller à jamais séparer la fratrie, afin que chaque enfant ne se sente pas abandonné. Dans les cas où les enfants ne peuvent être gardés chez eux, autant que possible, il faut habituer d'avance l'enfant à la nouvelle figure, et même parfois au nouveau décor qu'il verra tous les jours, mais cette fois sans la présence de ses parents.

Nous considérons donc ici que le babysitter est généralement la première personne étrangère à qui l'enfant fait face et avec laquelle il doit apprendre à «socialiser» ou composer.

Le professeur

C'est le premier intervenant important à la suite du parent, celui qui peut influencer l'enfant dans un sens positif ou négatif, celui qui aura autorité après les parents. C'est pourquoi il doit être très conscient du concept des auditifs et des visuels.

Il peut être aussi la personne rejetée, bouc émissaire et de l'enfant et des parents, selon la convenance. Effectivement, si les parents ont des difficultés avec un enfant, ils peuvent avoir tendance à blâmer le professeur, car pour eux, c'est au professeur à continuer l'éducation, et dans d'autres cas, ils laisseront même leur enfant entre les mains du professeur pour que celui-ci en fasse «un homme» ou «une femme».

De toute manière, pour les parents, le professeur sera «l'ange» ou «le démon» selon qu'il aura fait d'un enfant un «savant» ou un «ignorant». C'est donc l'intervenant «sandwich» le plus accessible.

● **Le professeur visuel :** il est généralement plus traditionnel dans son enseignement et dans ses attitudes. C'est celui qui veut que l'enfant le regarde ; aussi, lorsqu'il fait face à des enfants visuels, il n'y a aucun problème, mais les auditifs quant à eux n'ont pas tendance à garder les yeux fixés sur le professeur, ce qui peut amener la remarque suivante : «les enfants, tout le monde doit me regarder lorsque je parle». Et cependant, les auditifs continuent à écrire ou à avoir les yeux dans le vague. C'est le genre de professeur que l'on trouve en général assez ferme, et certaines personnes même nuanceront cet avis en vous disant que c'est de la sévérité et non de la fermeté.

○ En guise de *conseil au professeur visuel*, nous donnerions celui-ci : ne doutez pas de votre compétence, soyez ferme, mais n'oubliez surtout pas qu'il est difficile, pour les auditifs, de rester tout en yeux devant vous ; ils vous ont écouté ; aussi, regardez les résultats, ils parlent d'eux-mêmes. Pour être encore plus efficace, rien de mieux que de terminer un cours par un résumé de ce qu'ils doivent savoir et ils chanteront vos louanges !

● **Le professeur auditif :** son cours est «magistral»! Le professeur auditif donne bien son cours. Généralement, la théorie n'a plus de secret pour lui, il se fait un plaisir de la transmettre à ses élèves mais ne fait pas attention au visuel qui le dévore des yeux durant qu'il parle mais qui semble ne rien comprendre. L'auditif, lui, se sent dans son élément, car pas de perte de temps dans des détails, mais plutôt du rationnel. On trouve ce professeur peu sévère et beaucoup s'imaginent pouvoir faire ce qu'ils veulent. Attention au résultat, il ne laisse rien passer et souvent les notes d'examen sont décevantes pour l'élève, car l'auditif, qui cherche le fond et non la forme, si les réponses ne correspondent pas à ce qu'il croit avoir enseigné, est «sans pitié».

○ *Conseil au professeur auditif :* s'il vous plait, donnez donc aux visuels des «images»; les détails leur font également plaisir, sans toutefois entrer dans l'exagération, sinon les auditifs ne manqueront pas de crier «grâce».

Le docteur

Il devrait posséder la vérité. Il en est d'ailleurs ainsi dans l'esprit de bien des gens qui ne peuvent rien faire sans le demander au «docteur». Il doit tout connaître, tout savoir, et pourtant les médecins sont des «hommes». Souvent, le docteur «gagnera» sur le parent, lorsqu'il demande à un enfant de faire quelque chose. Le petit dira à son parent, par exemple : «je fais telle chose parce que le docteur l'a demandé» et aussi : «je suis beau, car le docteur l'a dit» etc...

Et les autres

● Les **grands-parents** : ce sont les intervenants les plus fiables pour les enfants, ceux qui comprennent... tant et aussi longtemps qu'ils ne contestent pas l'autorité des parents. Les temps ont changé même si la base de l'éducation reste la même. Il faut donc que les grands-parents acceptent les nuances du présent et s'adaptent à ces changements. Ceux-ci sont également le point de contrôle de certains comportements de leurs petits-enfants qu'on peut retrouver ou qui existaient, mais de façon inconsciente, chez les parents de profil correspondant.

● **Le chauffeur d'autobus :** pour certains enfants, le chauffeur d'autobus, c'est impressionnant. Nombreux sont ceux qui veulent faire ce métier alors qu'ils sont encore jeunes. Mais pour d'autres, le chauffeur d'autobus, ce n'est qu'un chauffeur, donc on peut chahuter, ennuyer les copains...

Pour le chauffeur d'autobus, il est parfois difficile d'amener toute cette marmaille sans heurts à bon port. Aussi lui demandons-nous d'assurer un minimum de discipline, en demandant aux enfants de rester assis durant le trajet, de ne pas crier ou parler trop fort et de garder près de lui ou à portée d'œil, les enfants plus sensibles à ces situations.

● **Le chef de groupe :** tels, les scouts, les guides, les cadets ou le patronage. Les autres moniteurs, tels les moniteurs sportifs, etc... s'ils ne sont pas conscients des profils, peuvent frustrer une partie des enfants, en exigeant certaines attitudes qui ne leur sont pas naturelles, ou contre leurs aptitudes et, de ce fait, les amener à détester certaines activités qui leur seraient utiles et leur permettraient en même temps de se détendre.

● **Le «grand-frère» :** (il s'agit d'une association sélectionnant un homme bénévole, faisant état de figure paternelle, dans une famille mono-parentale et qui s'occupe de l'enfant pour une journée ou deux par semaine). A ce niveau, le grand-frère est responsable de l'enfant avec lequel il s'associe. L'idéal serait que le grand-frère ait le même profil que l'enfant dont il s'occupe. Mais toutefois, si ce n'est pas le cas, le fait de lui faire prendre conscience des différences de profil devrait aider à l'harmonie dans la communication. Il en est de même pour toute association bénévole d'aide à l'enfance.

Auditifs et visuels : l'adaptation au milieu

L'enfant doit « composer » avec ses frères et sœurs, s'habituer à l'école ; l'adulte doit s'adapter au milieu du travail...
Visuels et auditifs ne réagissent pas de la même façon. Essayons de comprendre comment les uns et les autres vivront ces expériences.
Et puisque nous parlerons travail, nous dirons également un mot des loisirs devant lesquels visuels et auditifs, une fois encore, ne seront pas les mêmes.

La famille

Il n'est pas facile, pour un enfant, de s'adapter à un milieu dit « naturel » ; ayant été protégé dans le sein de sa mère, il fait face, plus tard, à une ou plusieurs personnalités dans sa famille. Même s'il ne retrouve que deux types de profil, visuel et auditif, il doit s'habituer aux différentes manières d'être, selon qu'il s'agit de la modalité active ou passive.

Dans certains cas, l'enfant est exposé à un milieu exigeant et conservateur ; en d'autres cas, les parents, ne voulant pas que l'enfant subisse la sévérité dont ils ont été l'objet, font vivre leur enfant dans un milieu très permissif.

L'enfant visuel, nécessitant plus de structure, se développe de façon harmonieuse dans un milieu ferme, ni trop sévère, ni trop permissif. Il respectera d'emblée le rôle des parents. C'est d'ailleurs ce même enfant qui fait découvrir à l'adulte son rôle primordial. Instinctivement, l'enfant sent le jeu de la complémentarité chez ses parents qui doivent s'impliquer en correspondance ou en complémentarité : chaque parent a 50 % du travail à faire envers son petit.

L'enfant doit généralement composer avec des frères et/ou des sœurs. Suivant le nombre et le profil de chacun, il ne réagit pas de la même façon avec ses frères et sœurs qu'avec ses parents. Il accepte l'autorité des parents, mais n'admet pas les mêmes exigences de la part de ses frères et sœurs. Toutefois, il apprécie, dans certains cas, de se faire rassurer par un grand frère ou une grande sœur et parfois même ira jusqu'à leur demander conseil. Voyons en détail comment cela se passe dans la famille.

Parent - parent

La famille ne peut exister sans parents ; il faut au moins un minimum d'un parent et d'un enfant pour créer une famille.

Dans la famille traditionnelle, constituée de deux parents, si ceux-ci ne comprennent pas leur complémentarité, l'enfant étant pris entre «deux chaises» manipulera l'un et l'autre afin que le couple s'entende. Il faut qu'un dialogue ouvert soit installé entre les deux adultes et que chacun puisse émettre une opinion sans que l'autre se sente mal à l'aise ou visé.

Les deux parents ont leur rôle à jouer respectivement et doivent se permettre d'être eux-mêmes en toutes circonstances. C'est de cette manière que l'enfant respecte ses parents et bénéficie de l'individualité de chacun.

Parent - enfant

Pour l'enfant, les parents sont les plus forts, les plus grands et ne se trompent jamais, et ce jusqu'à l'âge de l'adolescence. A l'adolescence, ce sont les parents du voisin qui sont «bien mieux» et à l'âge adulte, cela se rééquilibre.

Donc, l'enfant fait d'abord et avant tout confiance à ses parents. Dès le début, le parent correspondant doit prendre en charge son enfant, d'autant plus que dans les situations où l'enfant ne se sent pas à l'aise, ou bien ce parent a vécu la même chose, ou, à la place de son enfant dans le contexte actuel, il vivrait la même chose. Il doit également faire prendre conscience au conjoint qu'il ne faut pas qu'il fasse avec l'enfant ce que lui, parent correspondant, n'accepte pas de se faire faire.

Dans le cas contraire, où c'est la complémentarité qui joue, il est préférable de demander au conjoint comment il se sentirait dans certaine situation et comment il aimerait se faire aborder; ainsi le parent complémentaire trouvera le moyen adéquat pour rejoindre l'enfant.

Dès la naissance, la notion de ne pas laisser le parent complémentaire faire n'importe quoi avec l'enfant, est d'application. Il faut que le parent correspondant donne l'information à son conjoint du *comment* prendre l'enfant selon les situations, sans avoir peur de fournir des explications.

Par exemple : un nouveau-né visuel bien portant pleure; le parent visuel comprendra pourquoi l'enfant peut pleurer et expliquera au conjoint que ce n'est pas en prenant l'enfant dans les bras qu'on peut le consoler mais plutôt en se montrant et en lui donnant un jouet : cela va le rassurer. L'adulte correspondant, lui, préférerait «voir» son conjoint et discuter avec lui plutôt que de se faire prendre dans les bras et se faire caresser.

Quant au nouveau-né auditif, s'il pleure, c'est généralement pour une très bonne raison et, contrairement au visuel, ou il se sentira bien dans les bras, ou il préférera se retrouver seul dans son berceau, comme l'adulte correspondant qui aime s'isoler.

● **Les parents correspondants comprennent leurs enfants de façon instinctive** et c'est d'ailleurs de ces enfants-là qu'on dit qu'ils sont des «chou-chou». Effectivement, point besoin de parole, le tout est compris d'emblée, que ce soit le langage ou les attitudes. **Mais ce n'est pas tout! Plusieurs parents nous diront qu'ils sont comme «chiens et chats» avec leur enfant correspondant et pourquoi?** Si le parent correspondant ne se fie pas à son expérience et ne la traduit pas pour son petit, il reste à un niveau de défense et ne tentera pas d'être sécurisant.

Par exemple : *un parent visuel et son enfant visuel.* Quand l'enfant se sent agressé, généralement le parent correspondant est agressif face à une situation dans laquelle il ne s'aime pas, ou concernant une attitude qu'il interprète comme étant un défaut, vu que, dans la conjoncture de son éducation, cette attitude n'était pas acceptée, alors que maintenant, c'est plutôt une qualité. Tant et aussi longtemps que le parent n'en prendra pas conscience, il reprochera à son petit d'être ce qu'il ne veut pas être lui-même. Il faut donc rassurer l'adulte en lui démontrant que cela fait partie de sa nature et qu'au lieu de considérer qu'il y a là un défaut, c'est vraiment d'une qualité qu'il s'agit.

L'*auditif adulte* a tendance à demander à son enfant d'être différent de lui, de faire des choses qu'il aurait aimé faire, mais qu'il n'a pas faites. Mais il faut faire prendre conscience à l'auditif que l'enfant ne veut pas dépasser ses parents ; donc il ne faut pas lui demander des choses que lui-même n'a pas été capable de faire, souhaitant que son enfant soit meilleur que lui.

● **L'attitude agressive de l'enfant vis-à-vis du parent correspondant,** cache souvent un message de la part de l'enfant. En fait, il demande au parent de le laisser respirer face à certaines situations où le parent peut prévoir ce qui va se passer et a trop tendance à vouloir prévenir ou protéger l'enfant. Celui-ci veut, doit faire et vivre son expérience comme l'a fait son parent avant lui. Dans les faits, le parent doit pouvoir être un conseiller non un inspecteur ou un contrôleur des faits et gestes.

L'enfant qui sent son parent mal à l'aise dans une situation, ou qui devine que celui-ci ne sait pas comment s'y prendre, attendra patiemment que le parent aille chercher les outils pour régler son problème. Si le parent ne bouge pas, l'enfant s'agitera et aura tendance à le provoquer jusqu'au moment où l'adulte agira.

● Parlons maintenant du **parent agressif face à l'enfant;** nous remarquons que, généralement, ce parent-là en veut à son conjoint mais ne le reconnaîtra pas d'emblée. Il aura tendance à être agressif avec tous les enfants ayant le profil du conjoint. Aussi, si nous lui en faisons prendre conscience, il peut s'expliquer et ainsi ne plus s'en prendre à l'enfant qui trouvera des excuses au parent afin de le mettre à l'aise face à la situation précédente.

Une autre situation où l'enfant peut réagir très mal, c'est *lorsque le parent crie.* Le visuel imagine qu'on ne l'aime plus et se sent attaqué, alors que l'auditif interprète cette situation en se disant; il ou elle s'est levé du mauvais pied. Par exemple, l'enfant visuel ayant l'impression, par le ton de voix du parent, qu'on ne l'aime plus, fait son «baluchon» et fait mine de s'en aller, mais ne partira pas. L'auditif, quant à lui, lèvera les épaules, sera triste mais attendra des jours meilleurs.

Enfant-enfant

Comme nous l'avons dit dans les relations parents-enfants, nous savons que les enfants se sentent d'abord et avant tout plus à l'aise avec leurs parents qu'avec n'importe qui d'autre. Aussi, imaginons l'enfant qui doit faire face à d'autres enfants de son âge, plus jeunes ou plus âgés, selon le contexte, que ce soit dans la cellule familiale, à la garderie, à l'école, ou simplement parmi les amis, les cousins, etc...

● Avec les **frères et sœurs :** si l'enfant né le premier est *visuel,* il peut se sentir mal à l'aise face à la venue d'un second bébé, surtout si les parents ne lui font pas vivre cette future naissance. Lorsqu'on fait participer le visuel à la grossesse de la mère, celui-ci accepte mieux la venue d'un petit frère ou d'une petite sœur, mais encore, il faut le rassurer face à la place qu'il prend dans la vie et dans le cœur des parents et l'amener à participer aux activités du bébé. Dans ces circonstances, il peut parfaitement devenir «mère poule» ou «papa gâteau» envers son puîné, et vouloir prendre la place de la mère.

Si celle-ci est visuelle, elle comprendra l'attitude de l'enfant, mais si elle est auditive, en plus du père, son enfant visuel aussi lui reprochera de ne pas assez s'occuper du bébé.

Lorsqu'il s'agit d'un premier enfant *auditif,* lui, rien ne semble le déranger, sauf qu'il doit «plier» pour le petit frère ou la petite sœur. Au début, il en sera parfaitement heureux, mais à la longue, il trouvera cela moins agréable et se débarrassera de sa responsabilité sur sa mère en se disant : «après tout, c'est à elle ce bébé-là, qu'elle s'arrange»!

Plus âgés, tant qu'ils ne sont pas conscients des différences de profils et de la complémentarité, ils peuvent se sentir rivaux, entrer en compétition, et alors se comporter comme «chien et chat». Mais dès qu'on leur fait prendre conscience de leurs forces respectives, et de leurs différences, les communications s'harmoniseront.

Dans les familles où il y a plusieurs enfants, il n'est pas rare de voir apparaître ce qu'on appelle le phénomène de «clan». Ce qui veut dire que les visuels ont tendance à s'associer entre eux et avec le parent correspondant, se défendant entre eux et partageant leur expérience commune. Quant aux auditifs, ils feront la même chose, avec leurs expériences respectives, et même sans se parler. Mais dans les cas où un des membres du clan est attaqué par quelqu'un d'extérieur à la famille, visuels et auditifs s'associent en un seul clan pour faire face à la personne qui leur nuit.

● Concernant les **cousins et cousines,** il n'est pas surprenant de retrouver les mêmes faits, c'est-à-dire les mêmes clans. On peut également remarquer la naissance d'une amitié différente de celle qu'on retrouve entre frères et sœurs et d'une profondeur autre que celle que l'on noue entre amis, indépendamment des sexes mais en fonction des profils correspondants. Dans d'autres cas, il peut se former des antagonismes, si cette amitié n'est pas acceptée ou favorisée par les parents ou oncles et tantes.

● **Les voisins et amis :** pour les enfants, les voisins sont très importants et jouent un rôle positif ou négatif dans l'éducation selon la qualité du milieu. Si les relations sont bonnes entre les adultes, les enfants s'adaptent généralement les uns aux autres. Il est évident que cela ne se fait pas toujours sans heurt, n'oublions pas que ce sont des enfants. Mais si les adultes ne sympathisent pas, les enfants entre eux peuvent alors démontrer leurs antagonismes de façon plus vindicative que leurs parents.

Les enfants peuvent trouver leurs amis aussi bien chez les voisins qu'ailleurs, comme l'école par exemple, alors que pour l'adulte c'est plutôt au niveau des loisirs ou au hasard d'une rencontre, d'un voyage que se nouent les amitiés, ou au niveau de la profession, du métier, du travail, mais de manière plus rare dans ce dernier cas. Toutefois, entre patron et employé, les relations amicales font partie des exceptions.

○ *Chez le visuel,* on peut remarquer que les échanges ne se font pas toujours harmonieusement. L'enfant rencontre des individus de son âge et cherche à se valoriser, au même titre que les autres, en fonction des expériences qu'il a vécues chez lui, mais la concurrence risque d'entrer en jeu... En même temps, il a des échanges avec des enfants plus âgés que lui et il est rassuré par l'expérience de ses aînés, qui instinctivement se mettent généralement à son niveau. C'est un parfait «imitateur», surtout lorsqu'il est en admiration devant un aîné. Souvent, il recherche aussi des enfants plus jeunes que lui, afin de se valoriser et de leur transmettre son expérience. Il demeure que c'est avec ses pairs que l'enfant prend conscience des efforts qu'il doit faire face aux autres, et découvre les différences.

○ *L'auditif,* si les échanges ne sont pas harmonieux, s'organise seul et ne sent pas le besoin, comme le visuel, d'être en présence de quelqu'un. Il a peu d'amis mais beaucoup de «connaissances», avec qui il se sent à l'aise, et le dialogue peut se prolonger au point de battre une armée de visuels. Ce qui veut dire que l'auditif préfère jaser et faire de grands projets (régler tous les problèmes de la terre en une soirée). Il se retrouve généralement avec des gens de son âge, rarement plus jeunes ou plus âgés, à moins qu'il n'y en ait pas dans son entourage.

Dans les deux cas, soit auditif et visuel, nous remarquons une complicité plus grande, lorsque les amis sont du même profil; ils se sentent en confiance.

L'école

La garderie, première séparation

L'enfant, en plus du fait qu'il se retrouve dans un nouveau milieu, doit faire face non seulement aux autres enfants, mais aussi à l'adulte étranger, qui souvent est une femme. Pour l'enfant, qui jusqu'alors n'a perçu dans la femme que l'image de sa mère, une animatrice peut être déroutante, elle qui, de par sa fonction, lui paraît exigeante. Il peut alors se replier sur lui-même et refuser de participer aux activités, ou il peut ne vouloir faire que ce qu'il a envie de faire, sans se soucier du reste du groupe ou de l'éducatrice. D'autres sont déprimés, pleurent tout le temps et peuvent même aller jusqu'à en perdre le sommeil ou faire des cauchemars. Il faut alors rassurer l'enfant, lui affirmer qu'on ne l'abandonne pas, qu'on revient le chercher tous les soirs, et lui faire prendre conscience que, lorsqu'il n'est pas avec nous, il nous manque également. Au besoin, si l'enfant est trop perturbé, il est préférable de le retirer, au moins temporairement, ou de le diriger dans un milieu plus sécurisant pour lui.

L'école — mini-société

C'est le milieu extérieur où l'enfant subit les premières contraintes d'une série qui va en augmentant avec l'âge et l'expérience de la vie. Aussi, c'est le premier milieu où il doit vraiment apprendre à s'adapter sans la présence sécurisante de ses parents.

Ceux-ci, au début, peuvent s'inquiéter de la réaction de leur enfant et ont tendance, quand il revient de l'école, à lui demander ce qu'il a fait et s'il aime aller à l'école. La plupart des enfants leur répondront qu'ils aiment l'école ; effectivement, ils n'ont pas le choix, l'école étant obligatoire et de plus, ils ne voudraient pas déplaire à leurs parents qui, eux, les envoient à l'école.

Il est nécessaire que les parents fassent comprendre à leurs enfants qu'eux-mêmes sont obligés de les envoyer dans ce milieu. Quant à la performance, les enfants ont tendance à répondre à leur mère, qu'ils ne se souviennent pas de ce qu'ils ont fait, ou tout simplement, qu'ils n'ont rien fait. Aussi, la transplantation peut être illustrée par l'exemple cité par le docteur Lafontaine : «L'adaptation au milieu scolaire, pour un enfant, c'est un peu comme si on envoyait l'adulte correspondant en Chine et qu'on aille le voir le lendemain pour lui demander ce qu'il a fait de sa journée». L'adulte nous répondrait : «Laissez-moi le temps d'arriver...».

Certains intervenants cherchent à acclimater l'enfant à l'ambiance dès le premier mois. Espérant, après ce temps, que l'enfant soit adapté, ils commencent à le «pousser» afin qu'il poursuive les programmes imposés par les structures, à partir de modèles sur lesquels on ne s'entend pas trop.

L'enfant, devant cet état de choses, peut se troubler et avoir des difficultés à s'y retrouver. Il s'inquiète de ne pas arriver à satisfaire les exigences demandées et, dans certains cas, il est impressionné par l'expression de l'adulte. A ce moment-là, il a peur de cette personne et ne peut donner le rendement qu'on attend de lui.

● **Quel est le rôle des parents?** Il est important qu'ils rassurent leur petit, et lui expliquent que, tout au long de sa vie, il rencontrera des gens qui, au premier abord, lui sembleront sympathiques ou antipathiques. D'ailleurs, tous les parents veulent que leur enfant apprenne à composer avec ces gens, qui, somme toute, ne sont que différents.

C'est ainsi que le parent correspondant à l'enfant (de même profil) doit lui expliquer quelle attitude prendre face aux personnes rencontrées. Tandis que le parent complémentaire (l'autre profil), n'ayant pas la même vision des choses et des gens, lui donne ses impressions face à ces mêmes gens. L'enfant, de ce fait, a les deux visions des choses et sait ainsi que, si un moyen de s'entendre ne fonctionne pas, l'autre peut très bien fonctionner.

Autrement dit, si le parent correspondant est intimidé par certaines personnes, il raconte à son petit comment lui-même réagit avec ces personnes, en lui donnant les moyens concrets adaptés à la réalité d'aujourd'hui pour faire face à cette situation. De son côté, le parent complémentaire fait comprendre à l'enfant qu'il n'est pas spécialement impressionné par ces personnes, c'est-à-dire qu'il n'est pas réellement dangereux de communiquer avec autrui.

● Un autre aspect de l'école où l'enfant peut se sentir bien ou mal, selon les circonstances, est **l'ambiance.** Effectivement, il ne retrouve pas la même ambiance qu'à la maison. L'école, c'est beaucoup plus grand, plus impressionnant et il y a plus de bruit. Il ne peut faire autrement que de réagir à l'environnement. Certains enfants s'adaptent assez bien à tous ces changements alors que d'autres les vivent avec difficultés.

Le visuel, généralement, vit cette ambiance plus difficilement que l'auditif. Dans certains cas, cela peut aller jusqu'à nuire à son appétit. Je m'explique : il est l'heure du déjeuner et l'enfant prend son repas à l'école. Au réfectoire, les enfants laissent aller leur énergie trop longtemps refoulée et c'est le «capharnaüm», ils sont pêle-mêle et s'amusent, crient, chantent, etc... Comme nous l'avons appris dans des chapitres précédents, le visuel se laisse envahir par les sons, donc, dans ce genre de situation, il n'est pas rare de constater que le bruit peut engendrer chez lui des réactions pas tellement positives, comme l'empêcher de manger. Il se défendra contre le bruit ou le manque de cadre en se repliant sur lui-même, en s'en allant ailleurs si possible ou, solution miracle d'après lui, en faisant autant de bruit que les autres.

● Quant à **la couleur des murs,** nous savons aussi qu'elle peut influencer fortement le comportement d'un enfant. Plusieurs psychologues se sont en effet penchés sur le sujet, aussi n'ai-je pas l'intention de l'expliquer davantage sauf qu'il faut prendre conscience que pour les enfants hyperactifs, les tons de «rouge» peuvent les rendre encore plus actifs alors que les tons de «bleu» auraient tendance à les calmer.

● On remarque un fait curieux dans le milieu scolaire. **C'est habituellement l'enfant visuel qui a des difficultés à s'adapter au primaire, alors que l'auditif réagit vis-à-vis de l'école au secondaire.**

Nous savons que le visuel s'adapte difficilement au primaire par le fait que l'ambiance est différente, qu'il doit faire face aux premières contraintes dans un milieu moins structuré sans l'aide de ses parents. Effectivement, les parents peuvent suppléer en ce qui concerne les devoirs et leçons mais non à l'école même. La méthode pédagogique employée devient de plus en plus globalisante et le visuel s'y retrouve mal à l'aise. N'oublions pas qu'il aime les images, donc les méthodes audio-visuelles semblent actuellement être les meilleures pour ce profil, avec le mode participatif pour l'amener à s'auto-évaluer.

Au primaire, pour l'auditif, il ne semble pas y avoir de problème. Il peut mieux absorber le matériel pédagogique, n'étant pas aussi impressionné par l'ambiance que le visuel. L'auditif, semblant plus facilement autonome que le visuel, fait plus aisément face aux contraintes, car il peut faire abstraction de l'environnement et, en se faisant une image mentale, ne ressentira pas autant l'absence des parents dans ce milieu. Une méthode pédagogique plus magistrale ne le dérange pas, car pour lui, rappelons-nous, pas besoin d'image.

Au secondaire, l'enfant visuel se sent beaucoup mieux adapté et ce malgré les méthodes. C'est un être de l'instant et, le travail imposé, il le fera en fonction de ce qui se passe et conscient qu'il n'a pas d'autre alternative s'il veut quitter ce milieu qu'il a toujours plus ou moins aimé. On peut d'ailleurs comprendre ses sentiments face à l'école : lorsqu'il est absent, cela ne semble aucunement le déranger et il se remet facilement dans le contexte du travail ; il n'a pas l'impression d'avoir manqué beaucoup de choses.

L'auditif lui, trouve le secondaire nettement moins facile que le primaire. La quantité de travail lui paraît impressionnante et il se demande comment il arrivera à connaître tout ce qu'on lui enseigne. S'il manque une journée, il semble que pour lui ce soit la catastrophe. Il s'imagine alors avoir perdu énormément de choses essentielles et peut se décourager. Dans certains cas, il peut refuser de retourner à l'école de peur de ne pas en savoir autant que ses copains. D'ailleurs, l'auditif semble mieux aimer l'école que le visuel, car pour lui c'est un endroit d'échanges et d'information.

Le monde du travail

Nous sommes maintenant adultes et les contraintes se sont intensifiées au cours des années. Ne nous disait-on pas, du temps où nous étions à l'école, qu'il fallait étudier si on voulait travailler plus tard? Le travail a toujours fait partie de la vie à des degrés différents selon les époques. Si nous remontons le cours de l'histoire, nous découvrons qu'il y a eu des époques où c'était la femme qui devait assurer le gagne-pain, et l'homme était responsable du groupe et de son environnement. Comme dans tous les domaines, il y eut des changements et c'est alors l'homme qui a pris la relève; il pouvait prétendre à une carrière alors que la femme devait rester à la maison. Evidemment, dire d'une femme qu'elle reste à la maison, dans bien des esprits, voulait dire : elle ne travaille pas. Détrompez-vous cher lecteur! Une femme à la maison travaille et même beaucoup. Etes-vous conscient des choses qui se font à moitié dans une maison quand les deux conjoints travaillent à l'extérieur et doivent se dépêcher le soir pour entretenir la maison, faire le diner etc... J'aimerais, par ce petit commentaire d'introduction, rassurer toutes les mères de famille, toutes les femmes à la maison; comme le dit le dicton : il n'y a pas de sots métiers, il n'y a que de sottes gens. A ce sujet, j'aimerais vous raconter l'anecdote suivante : lors d'un recensement de la population de la Province de Québec, des personnes passaient dans les foyers et posaient des questions sur le nombre de gens vivant dans la maison, leur âge, profession etc... Le tour de mon beau-frère arrive et on lui demande qu'elle est la profession de sa femme. Aussitôt, il répondit : «ingénieur domestique». L'interviewer fut dans un premier temps interloqué, puis lui dit qu'il ne connaissait pas cette spécialité en génie. Et mon beau-frère de répondre : «Eh bien quoi, vous ne savez pas qu'il faut du génie pour bien entretenir sa maison!» Il avait compris qu'il se trouvait devant une personne qui, s'il avait répondu que sa femme était ménagère, aurait jugé que ce n'était pas une profession, donc qu'elle ne faisait rien.

Si nous parlons maintenant des professions, nous avons constaté que, dans toutes les professions ou métiers, nous retrouvons les deux profils, soit auditif et visuel. Mais nous avons aussi constaté que cela ne se divisait pas de façon égale, soit 50 % de visuels et 50 % d'auditifs. Non, cela dépend des professions ; par exemple, il y a plus de visuelles que d'auditives qui sont infirmières. C'est la même chose parmi les professeurs. Par contre, il semble que ce soit le contraire chez les programmeurs en informatique : ceux-ci seraient en majorité auditifs, etc...

La différence dans les professions est actuellement à l'étude. Mais le travail dans la société actuelle, c'est quoi, comment l'enfant entrevoit-il le travail plus tard ?

Si nous voulons survivre, il est évident que nous devons travailler. Rien ne nous tombe du ciel et la compétition pour le marché de l'emploi est de plus en plus grande. Il faut donc savoir défendre son territoire si on veut rester sur le marché de l'emploi. Et comme le dit un de mes anciens professeurs de l'ENAP (Ecole Nationale d'Administration Publique), dans ce monde réel et cruel où l'humain n'avait plus sa place, comment fait-on maintenant pour le réintégrer ?

L'humain fait partie d'un système, mais ce système ne peut pas fonctionner sans la communication entre les êtres. En effet, l'individu quel qu'il soit, veut communiquer, veut être en interaction avec quelqu'un d'autre. Il ne peut rester isolé. Donc pour bien communiquer il faut qu'il soit informé.

L'information

Elle est l'élément essentiel de la communication. L'information peut avoir différentes formes. Soit verbale, c'est-à-dire de vive voix, face à la personne ou par téléphone. Soit écrite, de formats différents tels : le tableau, le graphique et le narratif. Le narratif à lui seul, peut se subdiviser en trois types : le descriptif, l'explicatif et le directif.

L'information, qu'elle soit orale ou écrite, peut être interprétée de façon différente selon que l'on est visuel ou auditif. Nos observations et celles de certains auteurs tel Hofstadter, pour n'en citer qu'un, ont démontré l'influence de la perception, entre autres visuelle, sur l'interprétation.

Mais qu'entendons-nous par perception. Si nous feuilletons le «Larousse», nous voyons que perception veut dire : «action de percevoir par les sens, par l'esprit; résultat de cette action». etc... Voyons maintenant ce que cela nous donne en information.

● **La perception de l'information :** Prenons par exemple un schéma de base, soit la figure **a**. Que peut-on voir et comprendre de ces lignes ? Certains nous diront que cela représente... un vase; d'autres,... une pièce de jeu d'échec; d'autres encore... un pilon ! etc...

Fig. a

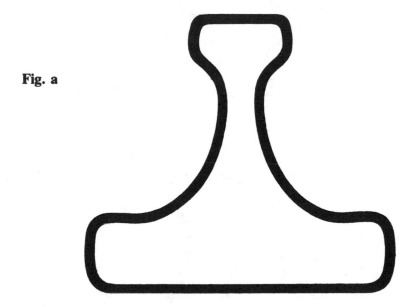

Si nous renversons cette même figure pour obtenir **b**, plusieurs y voient le chapiteau d'une colonne,... une poignée,... une enclume,... etc...

Mais maintenant ajoutons quelques lignes... et laissons aller l'imagination...

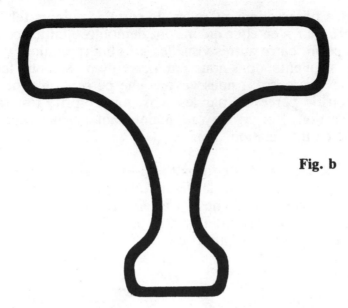

Fig. b

L'écrivain, dans cette figure **c**, y verra sans aucun doute un encrier ancien...

Fig. c

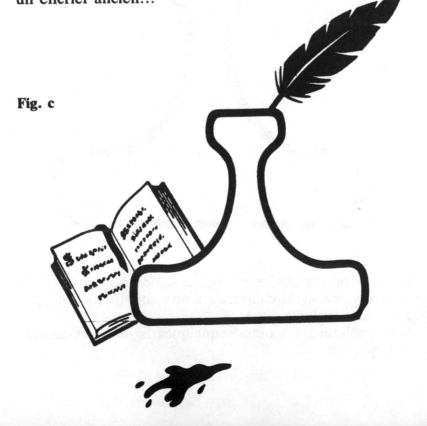

Fig. d

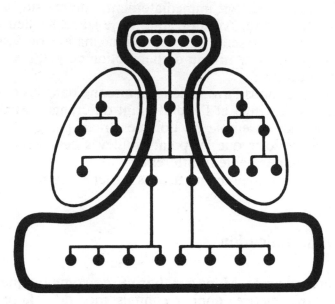

Des administrateurs du Nouveau Continent, reconnaîtront dans la figure **d**, le célèbre logo de Henri Mintzberg.

Quant aux gens préoccupés par la ou les communica-

Fig. e

tions... eux, y verront immédiatement, comme sur la figure **e**,... un téléphone. Ainsi de suite et je laisse d'ailleurs ici le lecteur continuer selon sa propre imagination de visuel ou d'auditif et selon le niveau de perception auquel il se trouve en lisant ceci.

Et comme nous l'avons déjà mentionné dans les chapitres antérieurs, le visuel et l'auditif étant différents, chacun perçoit donc un ensemble de données, mais pas de la même manière, de sorte que les points soulevés dans la communication seront également différents.

Il nous reste maintenant à vous parler de communication.

La communication

Toujours d'après Monsieur Larousse, communiquer veut dire : «transmettre, donner connaissance de... faire partager...». Suite à cette définition, ce que nous croyons être le plus difficile pour une personne, c'est de communiquer adéquatement, en tout temps, avec son entourage. Nous savons également que bien des choses influencent la communication, que ce soit l'information à transmettre, l'attitude de celui qui transmet et de celui qui reçoit l'information, la sensibilité de l'individu, l'environnement immédiat, les contingences des milieux, etc...

Dans le monde du travail en particulier, nous constatons plus facilement deux formes de communication, soit la manière directe ou indirecte. Ce que nous, nous entendons par manière directe est le langage verbal et les attitudes face à l'interlocuteur, et manière indirecte, la communication par l'intermédiaire d'une personne, d'un instrument ou de l'écriture.

Dans la communication directe, nous pouvons retrouver toutes les formes de langage verbal et non verbal. Ce que nous entendons par verbal est le discours adressé à un individu, alors que dans le cas du non verbal, il s'agit des gestes, des attitudes, de la physionomie, des mimiques. Il est peut-être opportun ici de rappeler que, chez l'adulte, dans la communication, 80 % de l'interprétation nous vient de sa dimension non verbale.

Et pour terminer sur la communication reprenons les mots de Laborit : «communiquer : c'est mettre ensemble».

En conclusion de ce chapitre, on ne peut se sentir à l'aise dans le monde du travail tant et aussi longtemps que l'information et la communication ne seront pas «jeux ouverts», tenant compte de la personne et de son affinité perceptuelle et neuro-sensorielle de base, soit visuelle soit auditive. Plus la société est ouverte à ces nuances, plus elle a de chances d'avoir des travailleurs plus et mieux motivés.

L'environnement socio-économique

Où est la vraie richesse ?

Prenons l'enfant né dans un quartier dit «défavorisé». Il est davantage exposé aux contraintes de la société par manque de ressources pécuniaires et absence d'espace. Très tôt, il fait face aux voisins, la rue étant son terrain de jeu.

Le soutien et l'entraide des adultes du quartier font qu'il est obligé de communiquer presqu'immédiatement avec des personnes autres que ses parents.

L'enfant peut alors réagir de façon passive en se repliant complètement sur lui-même. On découvre difficilement son potentiel et les parents n'osent insister. A l'opposé, il y a l'enfant «bluffeur», c'est-à-dire le «dur» du quartier, le meneur de «gang»...

Généralement, nous retrouvons ces deux attitudes chez un des deux parents qui a vécu une situation similaire, mais dans un contexte différent ceci étant dû à l'évolution de la société. D'ailleurs les parents ne s'inquiéteront pas puisqu'ils n'ont pas connu, eux-mêmes, autre chose.

Dans un milieu défavorisé, l'enfant n'a pas toujours la possibilité de soigner son apparence vestimentaire; on l'habille dans des magasins pour «petit budget» ou tout simplement on lui fait porter les vêtements de ses aînés. Mais l'enfant visuel acceptera mal de porter les vêtements des autres, tandis que l'enfant auditif l'acceptera mieux, pourvu qu'ils soient confortables.

De plus, ces familles se composent souvent de plusieurs enfants et il arrive parfois que plusieurs adultes d'une même famille vivent dans le même appartement. Ils sont à l'étroit. Dans de telles conditions, il n'est pas rare que l'on doute du potentiel intellectuel de ces enfants, d'autant plus que leur langage est très «nature». Si nous ne craignons pas de descendre de notre «hauteur» afin d'être à leur niveau, alors nous découvrons leur vraie richesse et bien d'autres valeurs insoupçonnées.

Dans certains milieux socio-économiques peu favorisés, il arrive que les enfants doivent être pensionnaires dans d'autres familles ou milieux, pour cause, par exemple, de maladie, de parents séparés pour d'autres raisons etc... Il est important de tenir compte du contexte naturel de l'enfant et du contexte dans lequel il pourrait être inséré. Il peut arriver que certains enfants soient placés dans un milieu social trop différent du leur, soit parce que leur famille naturelle a déménagé, soit parce qu'ils ont été placés dans une autre famille. Il se peut que l'enfant ne s'adapte pas à ce nouvel environnement. Dans certains cas, il est conseillé aux familles de retourner dans un quartier plus en accord avec leur système de valeurs. La loi du milieu existe toujours.

Ni riche - ni pauvre

L'enfant du milieu dit «moyen» ne dérange personne, il vit aussi bien avec l'une ou l'autre des classes sociales. Toutefois, il se préfère dans le «juste» milieu. Il peut avoir des activités qui demandent certaines participations de la part des parents, soit en ressources humaines ou monétaires. Il s'insère mieux dans l'évolution de la société et a plus de chance que n'importe quel autre enfant de vivre selon son «époque». Contrairement à l'enfant défavorisé ou à l'enfant de «riches», il peut rester lui-même, n'étant pas contraint ou par la vie, ou par les parents de prendre une attitude qui n'est pas celle ressentie profondément. C'est l'enfant qui est généralement reconnu comme heureux par l'environnement.

Quand on mène une vie de château

L'enfant né dans un milieu aisé semble moins exposé aux contraintes de la société que d'autres. Son entourage est habituellement choisi par ses parents et il peut obtenir les jeux et vêtements de dernière mode.

Toutefois, on a tendance, avec ce genre d'enfant, à vouloir en faire un «adulte en miniature» et on s'attend souvent de sa part à un langage d'adulte d'où la spontanéité a été bannie. L'enfant est repris régulièrement lorsqu'un «mot pas comme il faut» est prononcé. Le visuel pourra paraître impressionné par la condition sociale de ses parents et pour se valoriser, il peut rappeler aux autres cette condition, vu qu'on la lui rappelle souvent. Quant à l'auditif, cette même condition est plutôt une entrave car il aime surtout communiquer avec l'autre, peu importe son niveau socio-économique.

Ce genre d'enfant peut sembler «gâté» sur le plan matériel, mais à cause des exigences de son milieu, il lui arrive de souffrir un peu de l'absence de ses parents retenus par leurs obligations sociales ou professionnelles. Je m'empresse ici d'ouvrir une parenthèse afin de rassurer les parents en leur confirmant que ce n'est pas la quantité de leur présence qui est importante mais la qualité de cette dernière, qu'elle soit directe ou indirecte. Il faut que l'enfant sente que ses parents sont présents pour lui et non pour la forme.

Les loisirs

Fouillons notre mémoire, et nous nous souviendrons d'avoir toujours entendu parler de «loisirs». Ce sujet était plus ou moins important suivant les époques et possibilités d'accès à ces loisirs. Du temps de notre enfance, on nous parlait tout simplement de «jeux». En évoluant, on mit un tel accent sur le travail que toute chose faite en dehors du travail régulier, qui pouvait sembler moins utile, était appelée «perte de temps». Maintenant, nous en sommes à parler, à propos des loisirs, de «se changer les idées».

En fait, que sont ces loisirs?

D'après «Monsieur Larousse», ce mot veut dire: «Temps dont quelqu'un peut disposer en dehors de ses occupations ordinaires».

Personnellement, je définirai les loisirs comme suit: «Toute occupation qui ne nous impose aucune contrainte incontrôlable». Effectivement, tout peut devenir un loisir, à condition de s'y sentir à l'aise et de n'éprouver aucune contrainte face à ces occupations.

Pourquoi avoir des loisirs? Quelle est leur importance?

Il nous faut des loisirs pour «se sentir bien»! pour «notre santé mentale»! pour «l'estime de soi»! etc. En fait, la pratique d'une occupation dite de «loisir», aboutit à l'équilibre des forces, c'est-à-dire, l'équilibre neuro-bio-psychologique de chacun de nous.

Parlons maintenant de leur importance. Ils sont nécessaires pour pallier les pressions que nous subissons tous les jours et dont l'accumulation nous amène à perdre notre énergie et notre «bonne humeur». Aussi faut-il se divertir, mais surtout s'actualiser.

Pour certaines personnes, l'actualisation de soi se fait dans le travail. Mais pour beaucoup d'autres, ce n'est plus suffisant. Certains, devant les structures leur paraissant rigides et même sclérosées, se sentent mal à l'aise dans leur milieu de travail. Cependant, pour des raisons d'ordre économique ou d'ordre administratif, ces personnes n'ont pas le choix: elles doivent rester dans ces structures. Aussi voyez-vous de plus en plus de personnes chercher une activité en dehors de leurs tâches régulières, car la consigne demande aux individus d'être de «bons producteurs» et de «bons consommateurs». «Etre bons producteurs» pour l'intérêt de l'industrie ou de la compagnie et «être bons consommateurs» pour l'intérêt de l'économie de «son pays».

Voyons maintenant quels sont ces loisirs?

Les grands espaces ou espaces verts

Ce que nous entendons par grands espaces ou espaces verts, ce sont tous les loisirs qu'un individu peut faire à l'extérieur, tels certains sports ou activités de plein air.

Décrivons maintenant comment se comportent les auditifs et les visuels dans différents sports ou activités extérieures.

● **Les sports individuels :** la natation, le golf, le ski alpin ou le ski de fond, le cyclisme, etc. Nous remarquons en général, que le visuel favorisera ces sports pour autant qu'il n'est pas en compétition. Toutefois, et ceci peut paraître paradoxal, il préférera se retrouver en groupe comme par exemple pour le ski de fond ou de randonnée. En fait, le visuel s'arrange pour faire un sport qui puisse être accessible à toute la famille et encourage une présence active de la famille.

L'auditif se sent parfaitement à l'aise dans le sport individuel et, contrairement au visuel, s'arrangera pour être seul. Il le fait pour lui-même comme une discipline. Il aime être en compétition avec lui-même et ainsi connaître ses limites. Le sport individuel correspond également à une période de réflexion intérieure et une reprise de conscience de lui-même.

● **Les sports de groupe :** la plupart des sports de compétition sont en général des sports de groupe, tels le football, le hockey, le baseball, etc. Nous remarquons que c'est généralement l'auditif qui se sent mieux dans ce genre de sport. Effectivement, celui-ci ne considère pas la compétition de la même manière que le visuel. Il joue plus pour le plaisir de jouer que pour le plaisir de gagner, et lorsqu'il a fait un «bon coup» ou «du bon boulot», il en sera extrêmement fier et satisfait. Si son équipe perd une partie, il se dira facilement que «tout le monde ne peut gagner, il faut un gagnant et un perdant».

Le visuel, dans les sports de groupe ne se sent pas aussi à l'aise que l'auditif et généralement jouera pour gagner; il s'arrangera pour obtenir le prestige d'un but. On le voit aussi, la plupart du temps, plus rapide que l'auditif; il a d'ailleurs un jeu très concret, alors que l'auditif a un jeu «cérébral», ce qui veut dire : réfléchi et planifié quand faire se peut. Si l'équipe du visuel perd la partie, celui-ci se sentira coupable de n'avoir pas mené son équipe à la victoire. Il faut alors le rassurer du fait qu'on ne peut toujours gagner et le valoriser en lui disant qu'il a bien joué ou lui démontrer les côtés positifs de son jeu. En d'autres termes : «un auditif, ne perd jamais une guerre, il ne perd qu'une bataille, alors qu'un visuel, en perdant une bataille, a perdu la guerre».

Il faut aussi signaler, par rapport aux sports de groupe ou de compétition, que les joueurs qui se blessent le plus facilement sont souvent les visuels. Comme pour les enfants visuels face au danger, les sportifs sont tellement centrés sur l'action à poser, qu'ils en oublient les lois élémentaires de protection d'eux-mêmes. Tandis que l'auditif, peu importe le but de l'action, est toujours conscient des dangers corporels.

Lors des congratulations ou des explosions de joie à l'occasion de points enregistrés ou de victoires, les inhibitions disparaissent et il n'est pas rare, à ce moment là, de voir les joueurs se donner une caresse d'amitié. Pour le visuel, ce sera caresser la tête de l'autre ou le serrer fortement dans ses bras, alors que pour l'auditif ce sera la «tape sur les fesses» ou la bourrade.

L'art du loisir et le loisir dans l'art

Le plan artistique est celui où l'on apprécie le mieux la présence des deux profils. J'ose affirmer qu'il y a des musiciens visuels, comme il y a des peintres auditifs. Nous pourrions citer par exemple, en musique, deux compositeurs aussi géniaux l'un que l'autre : Mozart comme visuel et Beethoven comme auditif.

Chez les grands peintres nous avons Breughel dit le «vieux» qui a tout du visuel, et Renoir peignant ses toiles selon la tradition auditive.

La sculpture comprend également des visuels et des auditifs parmi ses «hommes» célèbres. Pour ne citer qu'un artiste et génie sur tous les plans, qui pourrait englober et visuels et auditifs, bien que nous le croyons de dominance auditive, nous ne pouvons que penser à Léonard de Vinci.

Concernant l'écriture, nous remarquons que le visuel a une plume plus facile et beaucoup plus imagée que l'auditif. Le style est plus séquentiel et événementiel alors que l'auditif a un style plus coulant et plus littéraire. Mais nous sommes conscients que l'auditif doit s'y reprendre à plusieurs reprises avant de pouvoir transmettre l'image.

Quant à la lecture, le visuel se détend avec un roman «à l'eau de rose», une «biographie», un bon livre «d'histoire», ou une «bande dessinée», tandis que l'auditif, lui, préfère un «bon roman» ou un livre sur son sujet favori. Il n'est pas rare qu'un livre intéressant pour l'auditif ne le soit pas pour le visuel et vice versa. Ce n'est pas toujours le sujet qui est en cause, mais la façon dont il est traité.

Les grands cuistots

Certains visuels ont le goût du «chef cordon bleu», autrement dit, ils se détendent en faisant la cuisine. Nous savons d'ailleurs que le visuel a tendance à «vivre pour manger», contrairement à l'auditif qui lui, «mange pour vivre». Il est donc moins intéressé par ce genre d'action ou de loisir. Par contre ne vous fiez pas au fait que l'auditif semble moins gourmet que le visuel, il peut devenir plus «gourmand» et plus «gourmet» dès qu'on a su l'intéresser.

En conclusion : tout peut devenir un loisir. De l'enfant

visuel, on dit que c'est celui qui n'aime pas jouer pour «jouer». Il préfère imiter un des parents ou même les deux, que ce soit dans le ménage ou dans le bricolage. C'est l'enfant qui se «sent bien» dans une activité utile pour quelqu'un d'autre. A ce stade-ci de l'enfance, il a besoin de l'approbation immédiate de l'adulte. En grandissant, il acceptera de jouer, mais de façon sélective. Il préfère les jeux à deux ou trois plutôt que le jeu de groupe.

A l'adolescence, il aime bricoler pour expérimenter. A l'âge adulte il rejoint l'auditif dans les loisirs mais pas de la même façon. Le visuel s'attarde plus au côté concret de l'action alors que l'auditif s'attarde plus au côté dit «scientifique».

Nous pourrions continuer cette liste qui, pour moi, serait très longue, mais retenons qu'à chaque niveau, nous retrouvons les équivalents visuels et auditifs.

Enfin, encore une fois, tout devient loisir à condition qu'on soit intéressé et c'est en essayant que l'on arrive à trouver ce que l'on aime vraiment, et à se connaître.

Notre expérience
Quelques scénarios
de la vie

Il est clair que certaines difficultés de communication et d'adaptation sont directement liées à l'existence des deux profils visuel et auditif.

Pour illustrer notre propos, nous allons relater ici quelques cas d'enfants et d'adolescents «à problèmes».

Comment les comprendre et les aider afin d'établir avec eux un meilleur dialogue et d'améliorer leurs performances? Ce sera l'objet de ce chapitre, mais avant d'envisager quelques formules «magiques», nous dirons un mot d'une autre notion importante pour une meilleure compréhension : les actifs et les passifs.

Faites quelque chose, docteur!

Nous voilà parents, et, pour chacun de nous, il faut que notre enfant soit le mieux élevé, qu'il soit beau, intelligent, qu'il sache se présenter, bien parler et que sais-je encore?

Pour nous, en tant que parents, l'enfant a toutes les qualités, mais nous avons peur de nous tromper dans la façon de l'éduquer. Effectivement, les temps ont bien changé.

Sans vouloir critiquer la façon dont nous avons été élevés, nous ne voulons pas et ne pouvons pas élever nos enfants de la même manière, et pourtant... c'est ce qui arrive, inconsciemment, et ce, peu importe nos affinités de tempérament.

Dans la plupart des familles les enfants s'élèvent et grandissent sans problèmes particuliers tandis que d'autres présentent des problèmes pour eux-mêmes ou pour l'entourage.

C'est avec le temps que les jeunes ne présentent pas toujours le comportement considéré conforme aux contingences de notre société et on nous en fait part.

C'est alors qu'on se sent obligé de consulter les «spécialistes», et nous voici dans l'engrenage. Nous voyons d'abord notre médecin qui, lui, nous envoie chez un pédiatre qui, lui, nous envoie chez un psychologue qui, lui, nous envoie chez un neurologue qui, lui, nous envoie chez un psychiatre qui, lui, nous envoie dans certains cas, chez un orthopédagogue qui, lui, pense qu'on devrait montrer l'enfant à un autre spécialiste... et la chaîne s'allonge. Chacun y va de son diagnostic, le tout est expliqué dans des termes ronflants aux parents et ainsi, la boule de neige grossit sans jamais apporter la solution. Certains spécialistes sont confiants, et nous disent de ne pas s'en faire, que notre rejeton est «normal» et qu'avec le temps, les choses se stabiliseront. D'autres, au contraire, alarmés par le comportement un peu bizarre de l'enfant, tenteront de «situer» l'enfant et si celui-ci n'entre pas dans le cadre pré-établi, ils le trouveront «pas normal» et certains iront même jusqu'à affirmer que cet enfant doit être «placé».

De toute manière, trop de conseillers laissent entendre... «que d'après eux, l'incompétence des parents est à la base de ces symptômes. Mais, comme nous le rappelle Rogers, la majorité des enfants s'éduquent malgré les parents et les intervenants...». Peut-on alors parler d'incompétence et simplifier à ce point le problème?

Certains parents affolés ne savent plus à quel «saint» se vouer! Ils font un dernier effort, ayant entendu parler d'un neurologue qui, lui, accepte de chercher avec l'enfant et ses parents d'autres moyens par des avenues non explorées jusque-là par les autres intervenants.

Certains le trouvent «génial», d'autres «illuminé», car qui oserait diviser l'humanité en deux camps, indépendamment du sexe, de la culture et de l'ethnie? Mais peu importe, tous s'adressent à lui en ces termes: *«De grâce, docteur, faites quelque chose! Aidez-nous! Serez-vous enfin celui qui nous donnera les moyens de nous en sortir?»*

En tant que neuropédiatre, sensibilisé depuis un certain temps au désarroi de ces familles, et à différentes écoles de pensée sur le sujet, il cherche une solution adaptée à cette complexité. Avec l'équipe de psycho-éducation de l'Université de Sherbrooke en particulier, il confronte les différentes interprétations fournies par chacun des spécialistes et celles des parents avec les réactions des enfants. En effet, devant cette variété d'interprétations, les réactions de l'enfant deviennent le seul moyen de contrôle.

Des exemples vécus

Dans ce chapitre, je rapporte l'histoire abrégée de certains cas vécus lors d'entrevues. Je n'ai retenu que les éléments essentiels de ce que je veux faire ressortir. Je me dois d'ajouter que ces entrevues correspondent au stade où les parents ont identifié ou reconnu les notions des deux profils et leur complémentarité.

Comment comprendre?

Louis est un visuel âgé de 11 ans et il nous a été envoyé pour des troubles d'apprentissage scolaire.

C'est un enfant bien portant dont le développement s'est fait de façon harmonieuse, jusqu'à maintenant. Il se présente bien et son langage est clair. De lui-même, il me raconte son histoire.

Louis. — Je suis en 6ᵉ année et j'ai des difficultés.

Moi. — En quoi as-tu des difficultés? Français ou mathématiques?

Louis. — En français, je suis moyen. En mathématique, cela ne va plus.

Moi. — Avant cette année, n'avais-tu pas de problèmes en mathématique?

Louis. — Non, mais depuis quelques temps, je ne comprends plus rien.

La mère. — Les notes ont toujours été bonnes, il maintenait sa moyenne; mais depuis quelques temps, il a des hauts et des bas.

Moi. — Comment t'entends-tu avec le professeur?

Louis. — Je ne l'aime pas, il va trop vite.

Moi. — Fais-tu tes devoirs seul?

Le père. — Nous travaillons tous les deux et nous n'avons pas beaucoup de temps à lui consacrer, ma femme et moi.

Moi. — Louis, quand tu ne comprends pas quelque

chose, comment t'y prends-tu?

Louis. — Euh! j'essaye de m'en sortir seul, mais je trouve rarement les solutions.

Moi. — En parles-tu à quelqu'un?

Louis. — Non!

Moi. — Il faudrait le faire. C'est toujours plus facile lorsqu'on l'exprime à quelqu'un. Voilà ce que tu vas faire : tu vas tenter d'expliquer tes mathématiques à tes parents, non pas comme tu les as comprises, mais plutôt comme le professeur te les a expliquées.

Louis. — Mes parents n'ont pas le temps de m'écouter.

Moi. — Alors tu peux le faire avec tes frères et sœurs.

Louis. — Je ne peux pas, je suis enfant unique.

Moi. Bon! il te reste à essayer avec les copains ou quelqu'un d'autre, mais il faut que tu parles; veux-tu essayer?

Louis. — Oui.

Moi. — Je te revois dans un mois et demi.

La visite suivante nous montre un Louis de bonne humeur. Il semble être heureux de me revoir.

Moi. — Comment ça va?

Louis. — Très bien.

Moi. — Et tes mathématiques, ou en sommes-nous?

Louis. — Cette fois je vais réussir.

Moi. — Comment as-tu fait?

Louis. — Vous m'avez demandé de parler à quelqu'un, je devais absolument expliquer la façon dont on m'avait montré ce que je ne comprenais pas, n'est-ce pas? Eh bien, j'ai assis mon chien devant moi, je lui ai parlé et j'ai compris.

Conclusion

Il n'est pas toujours nécessaire d'obtenir une réponse lorsqu'on pose un problème à haute voix. Généralement, en s'entendant exposer le problème, on peut prendre conscience des lacunes. Toutefois, il demeure préférable de pouvoir parler à un individu, car l'importance du dialogue est très réelle et prouve le besoin d'exprimer ses craintes ou ses échecs. Le fait de savoir que quelqu'un écoute, rassure, et permet de cette façon d'analyser son propre problème, d'obtenir des suggestions de personnes plus expérimentées ou n'ayant pas ce problème. Aussi, nous vous invitons à porter plus d'attention au monologue que les enfants entretiennent avec les animaux. Combien de fois expriment-ils des choses qu'ils n'osent pas dire d'emblée aux adultes!

Une fille comme maman!

Nous avons rencontré Christine, une visuelle âgée de 11 ans, suite à une crise convulsive qu'elle aurait faite à l'école. C'est une fillette très intelligente qui, depuis cette crise, est très inquiète et fait des cauchemars. Jamais, avant cet épisode, elle n'avait été malade.

La mère. — « C'est la première fois que Christine présente une convulsion. Je ne sais ce qui s'est passé, mais depuis, Christine est beaucoup plus nerveuse et pleure plus souvent. J'étais très inquiète mais à l'entrevue initiale avec le docteur Lafontaine, il m'avait démontré que Christine partageait mes inquiétudes. J'ai tenté de la rassurer avec les explications sur la convulsion qui me paraissaient satisfaisantes. Mais elle est très sportive et elle reste angoissée. »

C'est alors que nous avons repris une partie du questionnaire sur les antécédents, et ainsi tenté encore une fois de rassurer mère et fille.

Moi — Dans son jeune âge, a-t-elle déjà présenté des problèmes?
La mère — Jamais! Même quand je me suis séparée de mon mari, elle avait tendance à être plus près de moi.
Moi — Combien d'enfants avez-vous?
La mère — Deux filles.
Moi — Sont-elles toutes les deux avec vous?

La mère — Oui.

Moi — Avez-vous l'impression qu'elle sont du même tempérament?

La mère — Non, Christine est moins autonome que Cécile. Elle a plus besoin de moi, mais il faut dire que Cécile est adolescente.

Moi — Sur le plan de la communication, comment sont-elles?

La mère — Très bien, nous parlons beaucoup ensemble; les enfants sont au courant de tout ce qui se passe.

Moi — Lorsque vous expliquez un problème, comment réagit Christine?

La mère — Je la sens beaucoup plus anxieuse et ça lui prend du temps pour verbaliser ses craintes. Par contre, Cécile réagit assez vite et tente de me rassurer.

Moi — Donc, Christine aurait plus votre tempérament.

La mère. — Je le crois.

Moi — Même si vous ne voyez pas le résultat de ce que vous avez fait, êtes-vous sûre d'avoir réussi?

La mère — Maintenant oui, je peux facilement me rendre compte de mes réussites.

Moi — Et Christine?

La mère — Elle, non! Je dois lui expliquer et tant qu'elle n'a pas vu ses notes scolaires, par exemple, elle ne peut le dire. Cependant, elle est très bonne en classe.

Moi — Bébé, comment était-elle?

La mère — Facile et souriante, elle est d'ailleurs très douce. On ne peut lui parler fort ou trop sévèrement car elle se sent mal à l'aise immédiatement.

Moi — Vous, si on vous parle un peu durement, que faites-vous?

La mère — Je ne me laisse plus impressionner par cela et je réponds sur le même ton.

Moi — Cécile est-elle inquiète lorsqu'on lui parle fort?

La mère — Non, elle n'y porte pas attention, mais retient le message. Cela peut la faire sourire aussi!

Moi — Pouvons-nous dire que Christine est comme vous, une visuelle et Cécile une auditive?

La mère — Oui surtout après avoir lu sur le sujet, j'ai pu identifier mes filles. D'ailleurs, Cécile trouve facilement une solution à laquelle je n'avais pas pensé.

Moi — Puisque maintenant les profils sont établis, vous êtes consciente que le visuel est plus fragile à la forme qu'au fond des choses.

Christine — A vous entendre parler, je suis donc comme maman?

Moi — Oui, tout ce que tu ressens, maman peut le ressentir aussi. Il est plus facile pour elle de comprendre ce que tu ressens si tu lui expliques, au lieu de t'inquiéter et ne rien dire.

Christine — Oui, mais j'ai toujours peur de la déranger et de lui faire de la peine.

La mère — Tu sais bien Christine que tu ne me déranges jamais, que nous prenons toujours le temps de parler.

Christine — Oui, mais ce n'est pas facile de le dire. Parfois, je peux raconter mes rêves mais à d'autres moments, je ne m'en souviens pas.

Moi — Christine, tes rêves sont-ils gais ou tristes?

Christine — Dans mes rêves, je suis toujours dans des mauvaises situations.

La mère — Ce que je ne comprends pas, c'est que nous dialoguons beaucoup. J'essaie autant que possible de rassurer les enfants. Elles savent toujours où me rejoindre si je dois sortir et malgré cela, Christine reste inquiète.

Moi — Il faudrait non seulement lui dire où on peut vous rejoindre, mais aussi vers quelle heure vous prévoyez d'être à la maison et l'amener à programmer son temps. Christine étant une visuelle, elle ne situe pas dans le temps comme le ferait Cécile. Aussi je recommande pour cette fois à Christine, lorsqu'elle s'inquiète de quelque chose, de demander à Cécile, qui est complémentaire, si cela l'inquiète aussi, et à Cécile de lui expliquer comment elle-même voit les choses, et nous contrôlerons cela la prochaine fois.

Un mois plus tard, Christine revient au bureau et me dit tout d'un coup : «Je me sens bien avec vous!».

Moi — Ah oui, pourquoi?

Christine — Vous m'expliquez tout comme maman le fait.

Moi — Oui, je suis aussi une visuelle. Mais as-tu vérifié avec Cécile tes inquiétudes?

Christine — Oui, et elle me dit toujours que ce n'est pas grave.

La mère — Cécile est très consciente des problèmes que vit sa sœur et elle prend ses responsabilités envers Christine, vu que je suis seule avec elles. Elle fait bien la part des choses. Mais dites-moi, pour les parents divorcés ou séparés ou même les mères célibataires, vu qu'il n'y a pas de complément, comment pouvons-nous assumer les deux rôles?

Moi — Il est impensable de vouloir jouer les deux rôles. Si c'est la mère qui est responsable des enfants, elle doit rester sécurisante, valorisante, mais il y a des situations où elle doit être aussi exigeante. Plutôt que de passer un ordre direct, nous conseillons de passer par la valorisation. Exemple : tu es bien capable de faire telle chose et ça me ferait tellement plaisir. Veux-tu le faire?

Généralement, l'enfant se sent fier de la responsabilité qui lui incombe et accepte de le faire.

Pour les monoparentaux, il y a moyen d'établir le profil de base de l'enfant en se rappelant les frères et sœurs de sa famille ou des familles de sa connaissance. Lorsque l'enfant correspond à la personne responsable, nous lui suggérons de l'éduquer, non pas spécialement comme elle l'a été, mais comme il faudrait le faire maintenant, avec elle. Quant à l'enfant de profil complémentaire, il faut procéder comme si nous avions affaire à un parent de l'autre profil, lorsque nous désirons que notre message passe. Il est rare que cette solution ne réussisse pas, tout en reconnaissant qu'elle requiert un certain apprentissage. Dans le cas présent, la sœur de Christine agit ici comme personne complémentaire.

Mais rappelons également que l'expérience clinique démontre, dans la majorité des cas, que même les enfants plus jeunes et complémentaires sont sécurisants ou valorisants quand l'autre est en difficulté, que ce soit par leurs attitudes ou leur verbalisation.

Oserais-je regarder ?

Simon est âgé de 3 ans et demi et ses parents sont venus nous consulter concernant son retard psycho-moteur. Simon est un beau bébé blond aux immenses yeux bleus. Lorsqu'il entre dans le bureau, il fait visuellement le tour de la pièce.

La mère — Nous venons vous voir car Simon n'est pas comme les autres.

Moi — Qu'est-ce qui vous fait dire qu'il n'est pas comme les autres?

La mère — Il vient seulement de commencer à marcher, il ne parle pas, ne semble s'intéresser à rien.

Moi — Il ne jargonne pas?

La mère — Il jase, dit quelques mots, mais c'est tout!

Moi — Lorsqu'il a besoin de quelque chose, par exemple, quand il veut boire, que fait-il?

La mère — Justement, il ne demande rien, c'est toujours moi qui dois penser à lui donner à boire et à manger.

Moi — Que fait-il durant la journée, dort-il tout le temps?

La mère — Oh non! Il reste là où je le place avec ses jouets, mais lorsque, de temps en temps, je le regarde, je m'aperçois qu'il me dévore des yeux, et aussitôt il baissera la tête.

Moi — Lorsque vous quittez la pièce où il se trouve, que fait-il?

La mère — Il geint, mais pas longtemps.

Moi — Lorsque vous êtes près de lui, lui parlez-vous?

La mère — Peut-être pas, je suis prise par mon ménage.

Moi — Etes-vous souriante à la maison?

Le père — Elle n'est pas spécialement souriante, mais elle est rarement de mauvaise humeur.

Moi — De voir que l'enfant n'est pas plus actif, cela vous inquiète-t-il?

La mère — Oui, c'est d'ailleurs pour cela que nous venons vous voir.

Moi — Si vous lui parlez, que fait-il?

La mère — Il sourit.

Moi — Si vous essayez de le provoquer, c'est-à-dire

l'obliger à changer de place, qu'arrive-t-il?

La mère — Je ne sais pas, je ne l'ai jamais essayé, il est tellement tranquille que je crois que tous les parents désireraient ce genre de bébé, car il ne dérange pas, mais c'est quand même inquiétant!

Moi — Y a-t-il un des deux parents qui a marché tard?

Le père — C'est moi, j'avais deux ans.

La mère — J'ai parlé plus tard que mes sœurs, mais je bougeais beaucoup plus.

Moi — Le tempérament peut s'extérioriser de deux façons; la façon active, c'est-à-dire l'enfant qui bouge et explore beaucoup, ou la façon passive, c'est-à-dire l'enfant qui attend après nous pour que nous l'invitions à agir. Celui-là est un peu plus difficile à comprendre, parce qu'il ne paraît pas intéressé, au point de ne pas vouloir regarder et certains iront jusqu'à croire qu'il peut être déficient mental. Avant de croire que l'enfant puisse être déficient, il faut se demander si ce n'est pas plutôt l'enfant qui a peur de déranger et ne se croit pas autorisé d'agir. Aussi, je vous suggère de provoquer davantage le petit, de parler beaucoup, cherchant à illustrer les idées étant donné que c'est un visuel. Ensuite, il y aurait lieu de lui verbaliser l'action. Il pourra ainsi visualiser ce qu'il entend et vous lui demanderez de vous décrire à son tour l'action, mais en portant une attention particulière aux séquences.

A la visite suivante, on apprend que Simon a commencé à explorer, sous le sourire encourageant et l'œil attentif de sa mère, celle-ci ayant pour quelque temps rangé les objets précieux hors de portée de l'enfant. Lors des visites suivantes, nous nous sommes rendus compte qu'il commençait à dire des mots. Face aux choses nouvelles, il reste encore ébahi, mais à force de nous voir, on le sent plus à l'aise et c'est maintenant lui qui essaie de nous provoquer. Il est toutefois encore loin de pouvoir décrire les séquences de ses actions.

La joie de vivre

Matthieu est un enfant très souriant, avec des yeux espiègles. Il est âgé de 4 ans et semble très éveillé au monde qui l'entoure. Il nous est envoyé pour «hyperactivité». Effectivement, ce petit bonhomme aux yeux et aux cheveux noirs est toujours en mouvement. Il explore le bureau, touche à tout durant l'entrevue et, surtout, participe.

Matthieu — Bonjour, comment tu t'appelles?
Moi — Béatrice.
Matthieu — Je veux dessiner.
Moi — Je vais te donner une feuille et un crayon.
Matthieu — Le rouge.
Moi — Si tu préfères.
La mère — Que dit-on quand on te donne quelque chose?
Matthieu — Euh!
Le père — Alors Matthieu!
Matthieu (les yeux rieurs) — Merci.
La mère — Je n'en viens pas à bout. Il n'arrête pas deux secondes. Il ne semble jamais fatigué.
Moi — Lorsque c'est son père qui le garde, comment est-il?
Le père — C'est la même chose, très difficile à suivre, cependant, c'est quand même mieux que lorsque nous sommes là tous les deux ou si ma femme est seule avec lui.
Moi — D'accord, c'est la plupart du temps comme cela que ça se passe dans les familles. Un parent seul a généralement plus de facilités avec l'enfant que lorsque vous êtes présents tous les deux, l'enfant voulant alors attirer votre attention à tous deux en même temps.
Matthieu — Il est beau mon dessin?
Moi — Très beau, qu'est-ce que c'est?
Matthieu — Pourquoi tu me dis qu'il est beau et tu demandes ce que c'est? tu le vois bien, c'est une femme.
Moi — Excuse-moi, Matthieu, je n'avais pas bien regardé.
Matthieu — O.K....
La mère — Matthieu, laisse parler madame...

Matthieu — Je veux jouer.

Le père — Tout à l'heure, papa et maman parlent à madame.

Matthieu se lève, prend le téléphone, appuie sur tous les boutons. Il change d'action et fouille dans l'index téléphonique, soupèse chaque objet sur le bureau.

La mère — Matthieu ne touche pas s'il te plaît. Voyez-vous, c'est toujours ainsi. A la maison, ce n'est pas grave, mais lorsque nous allons ailleurs, je suis inquiète.

Moi — Quand vous avez de la visite, ou quand vous êtes au téléphone, comment est-il ?

La mère — C'est pire. C'est le moment qu'il choisit pour faire ses mauvais coups.

Le père — Comme on le disait avant, avec moi, il ne fait pas de mauvais coups, mais je dois toujours faire attention à lui.

La mère — C'est vrai qu'il écoute plus facilement son père, mais mon mari n'étant pas toujours à la maison, donc pas toujours avec lui, a plus de patience que moi.

Moi — Vous me disiez que lorsque vous êtes au téléphone ou quand vous recevez des invités, il fait des mauvais coups ; quoi par exemple ?

La mère — Mettre de la poudre à lessiver dans le sucre ou courir et aller ouvrir tous les robinets. Si je me fâche, il tente de se sauver en riant.

Moi — C'est un enfant qui semble très espiègle aussi, c'est-à-dire qu'il semble vouloir jouer des tours et vous provoquer sans cesse.

Le père — Nous aimons tous les deux jouer des tours, je crois que l'enfant a de qui tenir !

Moi — Je vous explique la réaction de l'enfant lorsque vous êtes au téléphone. Matthieu a l'impression que vous n'êtes plus disponible pour lui et que vous pouvez l'oublier. Il tente à ce moment-là d'attirer votre attention mais s'y prend de façon maladroite. Vous pouvez, lorsque vous êtes avec d'autres personnes ou au téléphone, envoyer à Matthieu un signal visuel, c'est-à-dire, lui sourire ou, s'il passe près de vous, le prendre contre vous quelques secondes, ce qui peut être interprété par l'enfant comme suit : vous êtes occupée mais vous ne l'oubliez pas. De ce fait, il n'est pas uniquement laissé à lui-même.

L'enfant hyperactif est un enfant toujours en mouvement et il faut l'amener à s'occuper de façon structurée et utile pour quelqu'un. Généralement, nous suggérons d'établir les activités par écrit et de faire signer ce programme par le père, comme quoi l'exigence vient de lui. L'enfant respectera cet horaire, surtout s'il se sent appuyé par la mère.

Pour certaines exigences auxquelles l'enfant n'a pas encore pu répondre, nous suggérons que la mère démontre la façon de s'y prendre. Rappelons encore ici qu'il s'agit d'un visuel.

Certains parents argumenteront que l'enfant est trop jeune pour accomplir certaines tâches ou qu'il n'est pas encore assez grand pour comprendre. Il faut se rappeler que le visuel apprend par imitation. Donc, il sera réceptif à l'apprentissage des tâches de la vie courante. L'enfant n'est jamais trop jeune pour apprendre les choses courantes, pour autant que nous soyons disposés à accepter nous-mêmes quelques changements d'horaire ou de procédure.

J'entends, pourquoi regarder ?

Antoine est un jeune garçon de 8 ans, blond, les yeux bleus, rêveur. Il vient nous consulter à la demande du professeur pour manque d'attention.

Dr Lafontaine — On me dit que ça ne marche pas à l'école, que tu sembles distrait, qu'en penses-tu ?

Antoine — Je ne sais pas, ce sont les autres qui le disent.

Dr Lafontaine — Quels autres ?

Antoine — Bien, le professeur, parfois maman.

Dr Lafontaine — Madame, avez-vous l'impression que votre fils est distrait ; qu'est-ce qui vous le fait dire ?

La mère — A chaque fois que je lui parle, j'ai l'impression qu'il ne m'écoute pas, que je parle à un mur. D'ailleurs cela a été confirmé par le professeur !

Dr Lafontaine — Je m'adresse au père : Avez-vous l'impression, vous aussi, que votre enfant est distrait?

Le père — Moi, non, je ne vois d'ailleurs pas où est le problème, ou du moins s'il y en a un!

La mère — Voyez-vous docteur, c'est la même chose avec mon mari. Il ne voit jamais rien et il n'y a jamais de problème. D'ailleurs, je parle constamment dans le vide, il ne m'écoute jamais.

Dr Lafontaine — Vous commencez à m'intriguer; comment sont les notes de votre enfant?

Le père — Ma femme voit des problèmes partout, les notes sont bonnes et je n'ai rien à dire. Je suis content de lui.

La mère — C'est vrai que les notes sont bonnes, il ne passe jamais avec moins de 90 % mais le professeur se plaint de ce qu'il est inattentif, donc il y a bien un problème, même si mon mari trouve qu'il n'y en a pas!

Dr Lafontaine — Je suis surpris que vous me disiez qu'il y a un problème, alors que l'enfant a d'aussi bonnes notes. Mais qu'est-ce qui vous fait dire qu'il est distrait?

La mère — Eh bien, à chaque fois que je lui parle, il est comme mon mari, il ne me regarde pas!

Dr Lafontaine — Et le professeur?

Le père — Ça doit être la même chose, visuelle comme ma femme, et vous le savez bien docteur, les visuels, quand on ne les regarde pas, ils ont l'impression de ne pas être écoutés.

Antoine — Le professeur me dit toujours en classe : regarde-moi, je te parle. Elle m'ennuye à la fin.

La mère — Antoine, ne parle pas comme cela de ton professeur, elle est très gentille. Mais vous savez bien docteur que quand nous étions jeunes, si nous ne regardions pas la personne qui nous parlait, on nous considérait comme «mal élevé». Aussi je ne pensais pas mal faire en l'obligeant a nous regarder!

Dr Lafontaine — C'est là qu'est la nuance entre le visuel et l'auditif. Vous pouvez donc maintenant rassurer le professeur!

Conclusion : l'auditif, filtrant le message par l'écoute, comme nous l'avons déjà dit, ne sent pas le besoin de regarder son vis-à-vis lorsqu'on lui parle. Aussi, obliger l'enfant à regarder le professeur peut justement le décon-centrer et sa performance scolaire risque alors d'en souf-frir. Il vaut mieux avertir l'adulte visuel de ce phénomène et lui donner un moyen de contrôle : pour savoir si l'enfant l'a écouté, il doit considérer la performance quant à la rapidité d'exécution et la qualité du travail.

Une fille et son père

Gisèle est une jeune demoiselle de 13 ans, en secondaire, et depuis quelques temps, son sommeil est perturbé, elle a tendance à avoir la larme à l'œil et se dit fatiguée.

Dr Lafontaine — Alors, mademoiselle, qu'est-ce qui ne fonctionne pas, pourquoi viens-tu me voir ?

Gisèle — Je suis fatiguée, ça ne va plus et je ne sais pas pourquoi !

La mère — Ce n'est vraiment pas drôle pour l'instant, elle était toujours de bonne humeur et maintenant, elle bougonne tout le temps, on ne sait pas pourquoi et on ne sait plus comment la prendre ; j'en suis malheureuse.

Le père — Je suis d'accord avec ma femme sur le fait que Gisèle est moins bien pour l'instant, mais nous avons chacun nos moments n'est-ce pas ?

Dr Lafontaine — S'est-il passé quelque chose récem-ment, ou bien le style de vie a-t-il changé ?

La mère — La seule chose qui a changé est que, mainte-nant, elle est au secondaire et évidemment, elle a beau-coup plus de devoirs. Mais je m'en suis toujours occupée et elle sait très bien que je suis disponible pour elle.

Gisèle — Oh et après tout, j'en ai marre !

Dr Lafontaine — Marre de quoi ?

Gisèle — Je n'y comprends plus rien. Au début, j'étais bonne mais maintenant, je suis «cruche». Et personne ne me comprend !

Le père — Il me semble, Gisèle, que nous t'avons tou-jours écoutée et de plus ta mère s'occupe beaucoup de toi.

Aussi, qu'y a-t-il de si terrible?

Gisèle — Vous ne comprenez rien! J'ai des difficultés en grammaire et cela semble vous laisser indifférent!

La mère — Mais tu ne nous l'as jamais dit que c'était à l'école que ça n'allait pas; ton père et moi, on se posait des questions, mais tu es tellement renfermée. Au lieu de bougonner, tu aurais pu nous en parler.

Le père — Voyez-vous docteur, nous sommes une famille très unie, et je sais que je peux faire confiance à ma femme pour s'occuper des devoirs des enfants, étant moi-même trop pris, et puis les femmes ont tellement plus de patience.

Dr Lafontaine — Quelle est votre profession?

Le père — Je suis linguiste, mais pour les enfants d'aujourd'hui, c'est une profession de l'ancienne génération et la grammaire, ce n'est plus à la mode.

Dr Lafontaine — De la façon dont vous me parlez durant cette entrevue, je puis conclure que votre fille a votre profil et vous êtes tous deux auditifs. Aussi je vous suggérerais de voir vous-même les problèmes de grammaire. Non seulement en raison de votre spécialité, mais surtout pour la manière de lui expliquer, qui correspond mieux à son profil. Quant à l'autre moyen, on peut alors s'adresser à Madame pour avoir l'autre côté de la médaille.

Un mois plus tard, l'enfant est revue en contrôle et le problème semble rentrer dans l'ordre graduellement.

Dr Lafontaine — C'est réellement plus agréable de voir une demoiselle souriante. Quel a été le miracle?

Le père — J'ai suivi vos conseils. Je me suis impliqué davantage dans le travail de ma fille, au grand plaisir de ma femme, car j'ai dû laisser tomber certaines activités, donc je suis plus présent. Mais je dois aussi vous dire docteur, qu'en y pensant bien et en rétrospective, quand ma femme expliquait quelque chose à ma fille, moi non plus, je n'y comprenais rien!

Il faut donc prendre conscience que les explications données par le correspondant sont généralement plus claires pour la personne de même profil, que celles du complémentaire. Il ne faut toutefois pas refuser l'explication du complémentaire, car selon les situations, celles-ci sont parfois plus pertinentes et le fait de les connaître amène un meilleur choix.

Pourtant je comprends !

Amélye, 5 ans, rondouillarde, les cheveux noirs, les yeux bleus. Le regard baissé manifestant une certaine timidité et collée à son père. Elle est en maternelle.

La mère — Docteur Racicot, enfin, je peux vous voir !

Dr Racicot — Que se passe-t-il ?

La mère — On a rencontré sa maitresse et elle se pose des questions sur les capacités d'Amélye ; d'après elle, Amélye ne pourra pas suivre les autres en première année, elle la croit retardée.

Dr Racicot — Semble-t-elle comprendre ce que vous lui demandez ou expliquez ? Quelle est son attitude ?

Le père — C'est vrai qu'elle n'est pas « rapide », mais quand même, elle parvient toujours à ses fins. Et puis, dire qu'elle est déficiente, je ne le pense pas !

La mère — Je ne comprends pas, nous sommes deux personnes tellement vives et actives et notre fille, c'est tout le contraire, elle prend un temps indéfini pour faire une tâche. On pourrait croire qu'elle a toute la vie devant elle. C'est vrai qu'elle l'a devant elle mais quand même, qu'elle bouge ! Je crois que si nous lui disions qu'une bombe va exploser à côté d'elle, elle ne bougerait même pas !

Le père — Tout de même, il ne faut pas exagérer, elle sait d'ailleurs qu'il n'y a pas de bombe, et nous serions probablement surpris de sa capacité de sauver sa peau. Mais docteur, comment se fait-il qu'elle soit si lente, qu'elle puisse paraître retardée pour les autres ? Mais nous, nous savons comme vous qu'elle est intelligente. D'ailleurs elle a une très bonne mémoire.

Dr Racicot — Tout le monde ne peut pas être au même rythme, d'ailleurs chacun a sa propre vitesse. Mais vous Monsieur, n'êtes-vous pas le fils de Gaston ?

Le père — Oui, comment le savez-vous?

Dr Racicot — Je l'ai bien connu, nous étions à la petite école ensemble, et je peux vous dire que lui n'était pas «rapide». On attendait toujours après lui. Il nous disait toujours : pourquoi je me dépêcherais, après tout, «y a pas le feu!». Mais, quel homme maintenant, un sens de l'humour à toute épreuve et tellement bon vivant! Et voyez-vous, il est très bien arrivé dans la vie, malgré sa lenteur. Ses professeurs criaient toujours pour le rendre plus rapide, mais son intelligence a compensé sa lenteur et cela m'a toujours fasciné. Pourtant, il n'avait pas cet air là. Donc, les apparences peuvent être trompeuses. Votre fille est de ce type-là. Ne vous inquiétez pas, elle sera comme son grand-père, pas «rapide» mais tellement bien, plus tard!

Les parents — C'est vrai, on n'avait pas pensé au grand-père et pourtant il nous l'avait bien dit de ne pas s'en faire et de laisser faire le temps, mais on voulait se faire rassurer! D'ailleurs, Amélye nous dit déjà qu'elle comprend très bien, et que plus tard elle se mariera avec son grand-père, car lui la comprend. Elle nous a répondu un jour où on la pressait un peu : «de grâce, laissez-moi vivre!»

Il faut donc en conclure que même l'auditif passif, n'en est pas pour autant déficient. Ici nous avons fait face à des parents de style complémentaire mais tous deux de style actif alors que l'enfant est plutôt passive comme son grand- père. Nous pouvons donc remarquer que les traits correspondants se retrouvent parfois à d'autres niveaux que chez les parents, comme par exemple, les grands-parents, les oncles ou les tantes!

Et vive la vie

Ivan, 10 ans, cheveux roux, yeux verts, un air moqueur et direct. Il se présente avec l'air de savoir ce qu'il veut et ce qu'il fait.

La mère — Docteur Racicot, cette fois, ce n'est plus l'enfant qui a besoin de vous mais sa mère. Je n'arrive plus à le suivre, il est en train d'épuiser tout le monde. Y a-t-il des piqûres pour calmer le trop-plein d'énergie et le ralentir?

D *Racicot* — Est-ce qu'il va bien? Semble-t-il heureux de cette manière?

La mère — D'après moi, il va «trop» bien. Il a des idées plein la tête et il s'imagine qu'on est capable de tout deviner et de le suivre dans son cheminement. De plus, j'ai peur qu'il ne s'épuise au rythme où il fonctionne. Croyez-vous qu'il n'aurait pas besoin de vitamines?

D *Racicot* — Mais réellement, semble-t-il heureux de cette manière, autrement dit, est-il «bien dans sa peau»?

La mère — Je crois bien que oui, il n'est jamais de mauvaise humeur et au contraire, il nous raconte des blagues. Il parvient toujours à ses fins et réussit tout ce qu'il entreprend.

D *Racicot* — Mais alors, de quoi vous plaignez-vous? Pourquoi vous sentez-vous obligée de le suivre dans toutes ses activités?

La mère. — Docteur, si je ne le faisais pas, on ne me considérerait pas comme une bonne mère, mais c'est réellement épuisant.

Dr Racicot. — Et son père dans tout cela, que dit-il?

La mère. — Son père, pas moyen de lui parler! Il rit de tout ce que son fils invente et en est fier. Je ne me sens pas appuyée par mon mari. Se peut-il qu'il soit pareil?

Dr Racicot. — D'après ce que vous me dites, c'est vraisemblablement le cas et il n'y a pas à s'inquiéter; à l'adolescence, il a des chances de ralentir et de mieux se structurer; d'ailleurs l'auditif est un être programmé, et il parvient toujours à se structurer!

La mère. — De grâce docteur Racicot, pas deux pareils dans la maison. Mon mari passe encore, mais en plus, le fils, que vais-je devenir?

Dr Racicot. — J'ai bien l'impression qu'en réalité vous aimez cela. Vous tolérez votre mari et vous êtes même en admiration devant lui, comme devant votre fils; alors, c'est que vous avez les capacités de vous adapter et de les aimer ainsi. J'ai confiance et je vous suggère de lui permettre d'avoir beaucoup d'activités; il faut qu'il canalise son énergie pour se sentir bien.

En conclusion : l'auditif hyperactif est généralement plus structuré que le visuel ; par contre, son débordement d'énergie peut amener l'autre à épuisement, l'auditif jugeant l'énergie de ses copains selon ses propres critères. Mais c'est le genre de personne à toujours s'en sortir dans la vie, comme d'ailleurs le visuel «bluffeur». D'ailleurs, la plupart des parents, amis, et intervenants préfèrent des gens actifs et capables de faire des choses que ceux qui attendent toujours après quelqu'un.

Ni enfant, ni adulte = adolescent

Vincent est âgé de 16 ans, les cheveux roux, les yeux verts, le visage angélique, un demi-sourire, comme pour se moquer mais qui veut faire très adulte.

Moi. — Bonjour Vincent, comment vas-tu ?

Vincent. — Moi, je vais très bien, ce sont les autres qui ne vont pas !

Moi. — Qui sont les autres ?

Vincent. — Eh bien, ce sont mes parents, ma famille. Ils font tellement de bruit pour des riens. Ils ne me comprennent pas et ils voudraient que moi je les comprenne. D'ailleurs, chez mon copain Eric, c'est beaucoup mieux. Ses parents ne sont pas toujours derrière lui pour qu'il étudie, qu'il mette sa chambre en ordre, etc. Ses parents, ils sont bien plus chouettes que les miens. De plus, je déteste aller à l'école. Dès que je peux «sécher», je ne m'en prive pas. Mais ma mère ne comprend pas que je n'aime pas aller à l'école. Elle veut que son petit Vincent soit instruit, qu'il soit le meilleur petit garçon de la terre, car je suis encore un «petit garçon». Tandis que mon père, lui, ne parle pas sauf lorsque je lui dis que je vais chez Eric. Il se plaint et «m'engueule» en disant que je suis un «bon à rien» et que je devrais faire comme lui. Au lieu de m'amuser, je devrais travailler. Mais au moins vous, vous me comprenez. Vous savez que c'est bien mieux d'être avec les copains car les vieux, ils ne sont pas amusants. Ils nous disent toujours «dans mon temps» mais voilà, on n'est plus dans leur temps. Toutefois, ma mère, je parviens encore à «l'encaisser». Je la comprends. Mon père, c'est comme si je lui parlais chinois. Lui aussi ne me comprend pas et il ne veut rien savoir!

Moi. — Crois-tu que tu as le tempérament de ta mère, autrement dit, as-tu le profil de ta mère?

Vincent. — Que voulez-vous dire par là, je ne me suis jamais regardé dans un miroir de profil, ni ma mère non plus; devrais-je lui ressembler?

Ici, éclat de rire de la part des deux. Je me reprends et je repose la question à Vincent, à savoir s'il a le tempérament de sa mère :

Vincent. — Je crois que oui, vous voulez dire de caractère n'est-ce pas?

Moi. — Disons que oui.

Vincent. — Oui, je crois que je suis sensible comme ma mère, c'est d'ailleurs ce qui fâche mon père. Il me trouve trop sensible. Il me dit d'ailleurs qu'un garçon, ça doit être dur et ne pas montrer ses émotions! De toute façon, ça m'est égal!

Moi. — Je ne te crois pas, rien n'est égal si on a l'impression qu'on est jugé par quelqu'un, surtout par ses parents. De toute façon, je vais t'expliquer ce que j'entends par profil.

J'explique alors les deux tempéraments, les visuels et les auditifs.

Vincent. — Ce n'est pas bête votre affaire, êtes-vous sûre que ça marche avec tout le monde?

Moi. — Oui! sauf avec ceux qui sont craintifs, ou qui ont peur de reconnaître leur individualité. Par exemple, certains visuels refusent d'être visuel car ils ont l'impression que c'est moins bon que d'être auditif. Je te dirai en toute simplicité que je suis visuelle et que je me sens très bien dans ma peau. Je ne voudrais pas être auditive. D'ailleurs, on a constaté que, dans toutes les familles, il y a autant de visuels que d'auditifs. Il y a là un équilibre des forces.

Vincent. — Je crois que vous avez raison, je suis visuel et mon copain Eric doit être auditif!

Moi. — Pas spécialement, mais tu peux vérifier avec ce que tu viens d'apprendre. De plus, tu sais maintenant que tu ne peux communiquer de la même façon avec ton père qu'avec ta mère. Si ta mère est visuelle, tu arriveras à la comprendre sans effort. Elle ressent les mêmes choses que toi. Si tu lui parles, tu as des chances qu'elle te dise qu'elle te comprend. Alors je te demande de vérifier.

Un mois plus tard, je revois Vincent qui semble très content de lui.

Moi. — Alors Vincent, as-tu vérifié?

Vincent. — Vous pensez bien que j'allais essayer! J'ai fait le profil des copains. Vous pensez, ce que j'avais l'air savant! J'en ai même parlé au professeur de «psycho». Il ne connaissait pas le concept et je lui en ai «bouché un coin». Maintenant tous ceux que je vois, je suis capable de dire s'ils sont visuels ou s'ils sont auditifs. De cette manière je sais comment m'y prendre avec eux, mais avec mes parents cela ne marche pas encore.

Moi. — As-tu essayé de voir ta mère avec tes propres yeux et non comme elle te dit qu'elle est, ou encore de la façon dont on éduquait les enfants dans son temps? N'oublie pas que notre génération et la tienne ne peuvent pas être pareilles. D'abord, on nous trouvait trop jeunes pour pouvoir expliquer ce qu'on pensait, ou pour comprendre. D'après le principe du savoir-vivre du temps, un enfant bien éduqué ne parlait pas en même temps que les parents. Deuxièmement, tu te rendras compte que certaines des expériences que ta mère a faites, te serviront. Mais la mode ayant changé, il y a certaines réponses qu'elle n'a pas eu à chercher. Aussi, je reconnais que tu dois faire ta propre expérience mais sans rejeter celle de tes parents, à contexte égal. Tu es correspondant à ta mère, du fait que tu es d'une autre génération, mais de même profil. Autrement dit, ta perception de base est la même mais l'expérience est différente.

Vincent. — Je peux toutefois vous assurer que mon père

est auditif! Et dire que vous m'avez assuré que je vais choisir ma petite amie du même profil que celui de mon père! C'est malheureux car les auditifs, ils ne parlent pas.

Moi. — Cela dépend du milieu dans lequel ils ont été élevés; certains auditifs peuvent être plus bavards que «mille visuels réunis». Si, dans leur milieu, la communication était ouverte, automatiquement ils sont à l'aise de parler. Il en est de même pour le visuel s'il a vécu dans un milieu fermé, il y a des chances qu'il soit gêné ou renfermé; donc, ce n'est pas absolu que le visuel soit un extraverti et l'auditif, un introverti. Tu as des chances de rencontrer ton complémentaire qui soit aussi bavard que toi. D'ailleurs, nous sommes dans l'ère des communications. Même dans les annonces à la T.V., on nous invite à nous parler. Jusqu'à présent, on a constaté qu'on choisit toujours la personne complémentaire à soi pour vivre avec elle. On peut s'entendre avec le correspondant mais on ne peut vivre avec lui 24 heures sur 24, car deux visuels ensemble — ceux-ci étant toujours en mouvement — ce serait le chaos et deux auditifs ensemble, qui pensent tout le temps, ce serait la stagnation. Tu comprends alors que tu n'as pas beaucoup le choix. Si tu veux vivre de façon harmonieuse avec les autres, il faut que tu comprennes le principe de complémentarité et de correspondance, d'accord? Si cela ne va pas, nous en reparlerons.

Vincent. — Je crois que j'ai compris; de toute façon Eric est auditif, je l'ai vérifié et moi je suis certain d'être visuel, au moins à 95 %. «C'est chouette d'être visuel, je vois maintenant où je m'en vais!»

L'adolescent a besoin d'être pris au sérieux. Si on lui démontre notre confiance en lui, il sera ouvert et se fera un plaisir de raconter ses expériences.

Si nous commençons à dire «dans notre temps», il y a des chances qu'il nous réponde : «vous les vieux», c'est très bien votre temps, mais aidez-nous à vivre le nôtre!»

Actifs et passifs : le continuum

Dans les chapitres précédents, nous avons vu comment se partageaient les profils visuels et auditifs. Nous savons donc que l'enfant, ayant un profil déterminé, acquiert l'autre à force d'être exposé aux deux modes. D'abord face aux parents, ensuite aux amis, à l'école et enfin dans la société. Il lui arrive donc, à l'âge adulte, de pouvoir se retrouver presque moitié-moitié dans les deux profils. Toutefois, rappelons-nous que nous avons un pourcentage de dominance que nous gardons toute notre vie, mais à des degrés différents selon les époques de la vie. Dans les faits, l'individu apprend à être versatile, mais attention, qu'il ne le soit pas trop, car il risque alors de ne pouvoir jamais être lui-même, se sentant obligé d'être comme l'autre, soit son conjoint, un interlocuteur, un patron, et ainsi de suite.

Mais, en plus des profils visuel et auditif, nous retrouvons dans chaque personne un continuum de réactions qui vont de passives à actives, et qui, à l'extrême, se manifeste par l'absence totale de réaction ou par une grande agitation. Voyons maintenant comment cela se passe concrètement.

Le passif

● **L'enfant visuel :** passif il peut être un bébé calme mais observateur. Plus tard, il peut tout simplement rester assis à la même place, n'osant prendre les objets, mais en vous regardant les yeux écarquillés, attendant que vous lui donniez la permission de toucher. On a l'impression, par son regard qui d'ailleurs ne manque pas d'intérêt, qu'il attend une invitation pour agir. Souvent, sans s'en rendre compte, c'est celui qu'on empêche d'agir, par crainte de l'environnement, alors que l'autre type de visuel, celui qui semble se retenir lui-même d'agir, ne nous regarde que du coin de l'œil. Il semble trop timide pour nous regarder en face ou tout simplement trop craintif de ce qu'il pourrait voir. Par exemple, imaginez ce genre d'enfant regardant la télévision : si l'intrigue devient un peu plus énervante, il met les mains devant les yeux, mais en écartant les doigts pour quand même voir ce qui se passe.

Le visuel passif, peu importe les deux modes que nous venons de décrire, laisse les parents perplexes. Ceux-ci doutent de la compréhension de leur rejeton. Effectivement, devant son regard ébahi ou scrutateur, ils sont étonnés de son manque d'action, ils ont alors tendance à répéter leurs demandes, mais n'oseront insister, quitte à agir à la place de l'enfant.

Dans le deuxième mode, devant un enfant qui refuse de regarder, l'étonnement des parents devient de l'inquiétude. Ils commencent alors à se poser des questions, se demandant si leur enfant est seulement passif, ou si par hasard, il n'aurait pas une déficience quelconque.

Donc, dans le premier cas, je suggère aux parents d'inviter leur enfant à agir, il n'attend que cela. Et dans le deuxième cas, je leur conseille surtout de le rassurer.

● **L'adolescent visuel passif** : comme chez l'enfant, nous retrouvons les mêmes attitudes, mais on a tendance à le dire «paresseux», alors que, généralement, la crainte l'empêche d'agir. Dans l'autre cas, les parents se disant qu'il sera encore bien temps, pour lui, d'apprendre lorsqu'il sera adulte, le retiennent d'agir. De plus, pour le visuel qui est toujours inquiet de plaire, la passivité est un moyen de ne pas se faire trop remarquer.

Aussi je suggère aux parents de faire prendre conscience à l'adolescent de ses points forts et ainsi d'aller à la découverte des choses sans crainte des échecs.

● **L'adulte visuel passif** : ce sont en général des gens que l'on considère comme étant très calmes et qui souvent peuvent paraître plus auditifs que visuels, ceux-ci ne s'exprimant que très peu ou dans certaines circonstances pas du tout. Ils se décrivent comme des gens timides et pas sûrs d'eux. Toutefois, le regard de ces personnes est quand même scrutateur; on a l'impression qu'elles n'en voient jamais assez, mais si vous-mêmes avez ce regard, elles se sentiront mal à l'aise et détourneront les yeux.

● **L'enfant auditif passif** : il bouge peu, s'exprime peu, fait ses affaires seul, mais pas beaucoup. Il semble que rien ne l'émeut. C'est de ce type d'enfant qu'on s'inquiète souvent, se demandant s'il est malade ou peut-être déficient, car plus on exige de lui, ou plus il a peur, plus il ralentit au point de devenir amorphe, de présenter un regard vide et de ne montrer aucune émotion, comme si les événements ne l'atteignaient pas.

Il y a lieu d'encourager ce type d'enfant à poser des gestes sans crainte, en lui expliquant ce qui sera positif dans l'action, et souvent il acceptera de bouger, faisant la liaison entre la cause et l'effet.

● **L'adolescent auditif passif** : comme l'enfant auditif, il a très peu d'expression. C'est une cible idéale pour ses amis, il ne réplique pas. Mais on n'est jamais sûr non plus de sa «production». S'il fait quelque chose, on se pose la question de savoir si c'est bien lui qui l'a fait et ainsi de suite. Qu'il soit en période de calme ou de conflit, l'auditif passif paraît imperturbable aux événements.

● **L'adulte auditif passif** : c'est l'impassibilité humaine, pas un froncement de sourcils, ni de pincement des lèvres, les événements se succèdent sans pour autant changer l'apparence de l'auditif passif et pourtant! Ces gens là se plaignent généralement d'être trop lents et souvent incompris, mais ils ne diront cela qu'en situation de confiance. Si la tension devient trop forte, ils peuvent être tellement «mal dans leur peau» qu'ils se dépriment.

L'actif

● **L'enfant visuel actif** est l'enfant qu'il faut occuper constamment et cela, généralement en présence d'une personne qui l'approuve tacitement ou explicitement. Mais son occupation doit être concrète et utile pour quelqu'un. C'est l'enfant qui va au-devant de vous et voudrait satisfaire vos moindres désirs. Il s'en réfère visuellement à ses parents. Ce même enfant sera déjà en action avant même que vous n'ayez achevé votre demande. S'il fait une erreur, il veut bien se reprendre à la condition qu'on le rassure. Si vous mettez sous tension l'enfant visuel actif, son comportement deviendra alors *hyperactif*, ce qui veut dire qu'à ce moment, l'enfant ne se sent plus capable de canaliser ses actions ou son énergie. Il panique face à la stimulation trop grande ; il ne sait pas comment l'interpréter. C'est alors qu'il commence à bouger, toucher à tout et faire le «bouffon» au point d'attirer notre attention. S'il a l'impression d'être abandonné, c'est ce moment-là qu'il choisit pour faire un «mauvais coup». Cette réaction doit être interprétée comme un S.O.S. Effectivement, l'enfant n'étant pas conscient de ce qui le dérange, se défend contre cette forme d'agression.

Exemple : lorsque la mère est occupée au téléphone ou reçoit une visite, l'enfant choisira ce moment pour faire ce qu'il ne faut pas, parce qu'il a l'impression que sa mère n'est plus présente pour lui ou qu'elle peut l'oublier. La mère rassurera son petit en lui envoyant un message, soit en lui souriant, soit en le prenant quelques secondes avec elle ou en essayant de le faire participer, en lui demandant par exemple de rendre un service. Alors l'enfant s'apaise et répond par exemple de façon positive à cette situation, en arrêtant de «tourner en rond», afin de canaliser son énergie de façon constructive.

● **L'adolescent visuel actif :** c'est le jeune qui est inscrit à un tas d'activités para-scolaires et qui doit également être toujours en mouvement. Il s'en réfère visuellement à ses parents mais, en plus, au professeur ou à un adulte qu'il admire beaucoup. Il est très serviable et parfois «trop».

C'est l'âge où il relève les défis et quelquefois à ses dépens. Il explore de façon concrète dans à peu près tous les domaines pour arriver à faire un choix plus tard. Il écoute les conseils mais ne s'en sert pas. Il préfère «mettre les pieds dans les plats». C'est l'âge également où il apprend à canaliser son énergie de façon utile et constructive sans l'aide de l'adulte. S'il s'est montré hyperactif étant enfant, on ne le perçoit plus de la même manière, car un contrôle s'est établi de lui-même.

● **L'adulte visuel actif :** c'est la personne qui ne peut rester assise sans rien faire ! Pour se détendre, elle change d'action et entreprend plusieurs projets en même temps. L'adulte visuel arrive à finir un travail commencé à condition qu'il en ait entrepris plusieurs autres en même temps, ne pouvant s'intéresser à la même chose que quelque temps ou quelques heures. C'est la personne qui regarde la télévision soit en tricotant soit en bricolant.

● **L'enfant auditif actif :** il ne sent pas le besoin d'être poussé vers une action. Il en choisit une qu'il peut contrôler seul. Il est d'ailleurs généralement constant et persévérant. L'auditif peut rester attelé plusieurs heures à la même tâche sans éprouver le désir de passer à autre chose. S'il vous arrive de le déranger, ou de lui demander de changer d'activité, il est déçu d'être interrompu, mais accepte de bonne grâce d'entreprendre autre chose. Il ne donne pas l'impression, à son entourage, de bouger beaucoup, car ses actions sont assez structurées et planifiées. Cependant, le regard est profond et intérieur.

L'auditif actif devient *hyperactif* lorsqu'il est sous tension. Il manifeste cette hyperactivité en tournant en rond. Il ne cherche pas d'emblée l'approbation de ses parents. Il peut assez bien s'évaluer lui-même et, de ce fait, obtient son autonomie plus vite que le visuel.

● **L'adolescent auditif actif :** il s'occupe de lui-même, sans qu'on le lui demande. Il s'insère dans de multiples activités, mais s'il en prend trop à la fois et ne peut plus les contrôler, il risque de se déprimer. Lorsqu'il fait quelque chose, il n'attend pas l'approbation de ses parents, ni du professeur, mais sera fier d'avoir celle de ses pairs. C'est l'âge où il rend le plus facilement service et se sent bien par rapport aux choses utiles. La concentration, cependant, peut être longue au point qu'il nous arrive de répéter une demande plusieurs fois, croyant qu'il n'a pas compris le message; mais lorsqu'il entreprend la tâche, tout est déjà réfléchi et planifié. Même sous stress, il est rarement considéré comme un hyperactif.

● **L'adulte auditif actif :** a une capacité de travail impressionnante qui peut parfois être essoufflante pour le visuel. Contrairement à celui-ci, il ne s'éparpille pas et peut rester des heures entières sur une même action, y mettant toute son énergie et mobilisant tout son monde avec lui. Lorsqu'il est occupé; n'allez pas le déranger, vous risquez de vous entendre répondre : «plus tard» ou «lorsque j'aurai le temps». Il peut arriver aussi, si vous vous adressez à l'auditif concentré sur une tâche, d'avoir «oui — oui» comme réponse, mais il ne vous a pas écouté et vous dira plus tard : «m'as-tu parlé?». Sous stress, son hyperactivité se traduit par la réflexion en faisant les «cent pas», ou par une action «pas spécialement utile» mais qui lui permet de bouger.

Quelques formules magiques

Après avoir lu les chapitres précédents, vous vous posez sûrement encore des questions. Vous vous dites : c'est bien beau tout cela mais que peut-on faire pour mieux se comprendre et améliorer ses performances? Il faut donc trouver quelques moyens, des moyens à la portée de toutes et de tous.

Cependant, comme il n'y a pas de recettes magiques et que chaque milieu est différent selon le vécu de chacun, il est nécessaire d'adapter ces moyens selon ses propres besoins et son imagination, et ensuite de les vérifier dans le vécu de tous les jours et Dieu sait, peut-être est-ce vous qui trouverez la formule magique.

Comment donner une structure

La plupart des gens ont besoin de structures. Le visuel aime avoir un cadre, des points de repère concrets, alors que l'auditif se sent capable d'évoluer dans un monde un peu plus bohème.

● **En ce qui concerne le visuel**, il faut lui apprendre à trouver ses points de repère alors que l'auditif semble, lui, les trouver spontanément par la réflexion, l'observation et la confrontation avec le vécu. Aussi, pour qu'un visuel puisse reconnaître ses points de repère et en arriver à se structurer, que faut-il faire?

Le moyen est très simple. Il suffit d'organiser et de planifier la journée du visuel. Pour l'enfant par exemple : avant qu'il ne sache lire, on illustre les activités qu'il doit faire du matin au soir, sur une feuille de papier. Le programme est posé bien en évidence, sur le réfrigérateur avec deux aimants (endroit préféré des enfants) ou à un tout autre endroit bien en vue. Ainsi il peut visualiser la tâche à accomplir et s'en souvenir. L'horaire des tâches ne doit pas être rigide, mais il faut qu'il soit signé par le père puisque, comme nous l'avons déjà mentionné dans un premier temps, les exigences viennent du père tant que l'enfant n'est pas assez autonome. Une marque de couleur sera faite pour chaque activité accomplie. La mère doit aussi encourager son petit à respecter cette planification des tâches et lorsque papa rentre le soir après le travail, il doit vérifier avec eux l'accomplissement des exigences. Toutefois, si une des activités n'est pas réalisée, il cherchera à savoir ce qui est arrivé en leur demandant d'expliquer, sans s'impatienter.

Chez l'enfant en âge de lecture, on peut procéder de façon similaire, mais au lieu d'illustrer le travail de la semaine, on notera les activités à accomplir en inscrivant les 30 ou 31 jours du mois. On marque une croix de couleur pour chaque activité et on change de couleur chaque semaine, l'enfant pouvant évaluer de lui-même sa performance et l'améliorer dans les semaines à venir. Le tableau ainsi coloré lui donne immédiatement une vue d'ensemble et aussi un point de comparaison d'une semaine à l'autre.

Avec le temps, la structure mentale s'établira d'office. Pour les adultes, un agenda bien tenu peut être de grande utilité.

● **En ce qui concerne l'auditif**, il sera réfractaire à ce type de structure. Il doit avoir du temps devant lui et, se considérant comme un être programmé, il n'acceptera pas spontanément de faire quelque chose sur commande et immédiatement. Mais, si vous donnez 24 heures de réflexion à l'auditif pour lui permettre de planifier son travail et vous donner une date d'exécution, vous obtenez alors ce que vous désirez. Si par hasard vous demandez à un auditif de faire son lit et si, ne pouvant faire ce travail pour une raison quelconque, quelqu'un d'autre le fait à sa place, il y a des chances pour que l'auditif ne le fasse plus jamais.

Comment amener les gens à s'exprimer

Il fut un temps, où les gens ne pouvaient exprimer ce qu'ils ressentaient. Les raisons invoquées dépendaient du milieu ou de l'âge de la personne. Par exemple, quand un enfant voulait exprimer ce qu'il ressentait au moment des repas, on lui reprochait de vouloir parler alors que c'était le moment de manger et aussi qu'il était bien trop jeune pour discuter. Adolescent on lui reprochait la même chose, mais en disant qu'il ne comprenait rien. Et adulte, on ne pouvait pas s'exprimer pour la bonne raison, que notre «bonne» éducation ne nous permettait pas de dire ce qu'on pensait, etc...

Pourtant, nous sommes à une époque où les gens doivent se parler s'ils veulent se comprendre et ainsi résoudre bien des problèmes.

Dans bien des familles, le dialogue ne se fait pas et ceci peut amener des conflits qu'on pourrait éviter si on prenait la peine d'écouter l'autre ou d'exprimer ce qu'on ressent.

Pour le visuel, pas de problème; généralement les faits sont «verbalisés» et l'expression du visage confirme les dires. Quant à l'auditif, c'est très différent. Effectivement, l'auditif a tendance à s'exprimer peu. Lorsqu'il le fait, c'est après avoir fait le tour de la question et il peut sauter du coq à l'âne pour exprimer ce qu'il ressent. Ce qu'il faut faire dans ce cas, c'est encourager l'interlocuteur à s'exprimer, en l'écoutant sans porter de jugement. On peut ensuite lui donner son avis en lui faisant prendre conscience des différences de vue et d'opinions, et ainsi lui permettre de se servir de l'une ou l'autre des solutions qui sont toutes les deux bonnes, mais selon les circonstances.

Le deuxième point ensuite à travailler, si nous voulons que notre interlocuteur, qu'il soit enfant ou adulte, exprime ce qu'il vit, ce qu'il ressent ou ce qu'il voit, est le suivant. Il faut que nous, adultes, commencions par exprimer comment nous avons passé la journée, ce que nous en avons ressenti. Si la journée s'est bien passée, nous le disons et encourageons l'enfant ou le conjoint à s'exprimer lui aussi. Mais si nous avons eu une mauvaise journée, **nous devons dire que la journée n'a pas été bonne, identi-**

fier l'événement qui a dérangé le déroulement de la journée, et envisager comment on peut remédier à la situation et combien de temps cela peut prendre.

Il n'est pas nécessaire d'entrer dans les détails, pour autant que l'interlocuteur soit rassuré et se sente assez à l'aise pour dire à son tour, ce qui s'est passé dans la journée.

Face à l'enfant, il faut que ce soit l'adulte qui engage le dialogue.

Comment apprendre à se concentrer

Pour les gens qui ont des difficultés d'abord à écouter, ensuite à se concentrer, que peut-on faire?

Beaucoup de personnes entendent, mais n'écoutent pas. C'est un art de savoir écouter et tout le monde peut y arriver, les petits comme les grands! Encore une fois, vous pourriez objecter que vous savez écouter, mais vous seriez surpris, vous adulte de «voir» tout ce que vous n'avez pas capté. Imaginez alors l'enfant qui se sent tout petit dans ce monde de formes et de sons et surtout le visuel qui se sent envahi par les sons! La moindre mouche qui se trouve dans la pièce le dérange et pour être certain de ce qu'il entend, il doit voir la source du bruit. Rien de tel pour couper court à cette concentration que tout le monde recherche.

Le moyen d'améliorer la concentration est simple : quel est l'individu qui ne possède pas un enregistreur? On ne possède pas toujours les écouteurs, mais peu importe, cela s'achète et bien souvent à des prix abordables.

Donc, en premier lieu, on demande de la collaboration. Pour un enfant, sous forme de jeux : on lui fait écouter une histoire racontée sur la cassette, d'une durée adaptée à sa capacité de concentration, qu'on augmentera progressivement. Pour un enfant d'âge scolaire, par exemple, la durée peut aller de quinze à vingt minutes. On demande ensuite à l'enfant d'écouter attentivement l'histoire enregistrée mais sans regarder le livre dans lequel l'histoire a été prise, et ensuite de la raconter à l'adulte après ne l'avoir entendue qu'une seule fois. Si l'histoire est racontée dans un ordre logique et d'une manière assez complète, on recommence la séance avec la suite de l'histoire ou une toute autre histoire, mais cette fois sans écouteurs et sans bruits dans la pièce. Encore une fois, il doit raconter l'histoire comme il l'a entendue. Lorsque l'écoute est adéquate, la troisième étape est de faire écouter une autre histoire sans écouteurs et avec quelqu'un d'autre dans la pièce, qui se déplace, bouge des objets ou parle à voix basse.

Enfin, quatrième et dernière partie de ce programme, on fait écouter une dernière histoire, mais avec des interférences à haute voix de plusieurs personnes qui continuent leurs activités dans la pièce. Comme précédemment, on demande à l'enfant de raconter l'histoire mais en surveillant l'ordre des événements.

Pourquoi changer d'histoire me direz-vous ? Tout simplement pour éviter que l'enfant ne l'apprenne par cœur, ce qui pourrait fausser notre contrôle. Nous pouvons toutefois recommencer chaque étape autant de fois que nécessaire, jusqu'au moment où l'enfant obtient un degré d'évocation satisfaisant ! Pour pallier cette lacune, il nous parait opportun de demander aux parents de raconter des histoires dès le jeune âge.

Nous pouvons dire, en terminant, que ce moyen est à la portée de l'enfant comme de l'adulte et permet ainsi non seulement d'apprendre à écouter, mais d'améliorer la mémoire et d'avoir une très bonne concentration.

Comment dédramatiser, rassurer

Les visuels sont toujours inquiets. Ainsi les enfants, lorsque les parents se reposent, et l'adulte lorsque son conjoint s'accorde du repit en dehors de ses habitudes. L'enfant, lui, ne fait pas la nuance entre la fatigue et la maladie. Quant au conjoint, il peut s'inquiéter qu'une simple préoccupation, par exemple, soit plus qu'une contrariété. Aussi, l'inquiétude, la contrariété, l'angoisse ou la fatigue, sont toujours considérés comme une maladie et l'enfant peut aller jusqu'à se poser la question à savoir «si nous allons en mourir?» Alors l'attitude de l'enfant correspondant change : il devient impatient et tourne autour du parent qui a le problème, ou bien il se replie sur lui-même et peut aller jusqu'à faire de mauvais coups. C'est par ce type d'agissement que l'enfant essaye de nous faire savoir que lui aussi a un problème.

Notre impatience nous amène généralement à poser la question suivante : «qu'a donc le petit pour qu'il soit si énervant?» Mais il faut plutôt poser l'autre question : «qui a un problème, l'enfant ou moi?» Car il se peut que l'enfant en ait un, mais il se peut aussi que ce soit nous et que nous n'en sommes pas encore conscients! Il n'est pas rare, d'ailleurs, de constater que nos petits sentent avant nous un de nos problèmes. Alors nous demandons à l'enfant de se calmer ou de nous laisser tranquille, ce qui a pour conséquence de rendre l'enfant encore plus agité, à notre grand désespoir.

Que faut-il faire? Expliquer à l'enfant et dans certains cas au conjoint, ce qui nous arrive et lui donner la solution! Exemple, si nous sommes fatigués, on peut dire à l'enfant : «papa ou maman est fatigué, ce n'est pas grave, nous allons nous reposer en faisant telle chose (soit dormir une heure, s'asseoir en prenant une tasse de café, parler de sa journée, ou encore faire une activité autre que le travail habituel). Il est aussi nécessaire de préciser à l'enfant le temps que va prendre ce moyen de détente. Certains vont jusqu'à demander aux parents de mettre la minuterie de la cuisinière en marche. Le petit se sent alors rassuré et respecte plus facilement le temps nécessaire à la relaxation, à condition qu'on l'aide à s'organiser durant cette période. Il en est de même dans les cas d'inquiétude et de contrariété.

Vis-à-vis de l'adulte il suffit généralement de le rassurer en lui faisant remarquer la différence entre la fatigue et la maladie.

Toutefois, face aux maladies banales, comme la grippe et le rhume, si on lui explique le contexte, l'enfant sera le premier à esssayer de réconforter le parent et éventuellement sera fier d'apporter «les pilules et le verre d'eau».

Comment valoriser

Bien des gens réagissent à l'échec et disent tout de suite : «je ne suis pas bon». Ils se dévalorisent et se découragent très vite. On ne les a pas amenés à prendre conscience de leur valeur, de sorte que lorsqu'il s'agit d'évaluer leurs forces et réussites, ils en sont incapables. Il faut donc les aider à prendre conscience de leurs réussites en commençant à les valoriser lorsqu'ils nous en donnent l'occasion.

La chance est le facteur aidant bien souvent à la réussite du premier coup. Quand il s'agit de recommencer une action en situation de stress, on ne réussit pas toujours. C'est alors qu'il faut intervenir en visualisant mentalement l'action, pour ensuite l'expliquer. En clinique par exemple, nous demandons à nos visuels qui sont habitués à mettre la table, comment ils le font. Souvent ils sont incapables de nous décrire où se trouvent les choses et comment ils les placent quand ils n'ont plus le modèle devant les yeux. Par voie de conséquence, cela nous amène à faire le lien entre la cause et l'effet. En somme, nous leur demandons de décrire les séquences du comment ils ont procédé.

Généralement l'enfant a des difficultés à suivre l'ordre chronologique des choses. Nous pouvons l'aider à mettre les séquences dans l'ordre, par la «verbalisation» et sans qu'il nous démontre l'action. Il est aussi très important, pour l'enfant, de devenir conscient d'une réussite; cela lui permettra, dans une situation identique, de réussir à nouveau, indépendamment de la réaction apparente de l'autre.

Chez l'auditif, pouvant assez facilement s'auto-évaluer, le problème ne se présente pas. Il aime toutefois se faire complimenter, ce qui le valorise alors pour une assez longue période.

Comment minimiser l'échec

Face à l'échec, l'enfant développe un sentiment d'infériorité. Il perd confiance en lui et refuse trop souvent de recommencer dans certains cas, ou d'agir dans d'autres cas, parce qu'on ne gratifie pas ses réussites. Face à l'échec, nous devons intervenir pour minimiser celui-ci et rendre l'enfant positif. On peut s'y prendre de la façon suivante : au lieu de dire : «ce n'est pas bon ou c'est mal» il faut dire: «ce n'est pas tout à fait ce que nous attendions comme résultat; il y a moyen de faire mieux et de réussir, mais en procédant de telle manière!» L'enfant se sent alors valorisé et comprend que l'échec n'est pas la fin du monde, qu'il y a moyen de recommencer et qu'en fait, c'est de cette manière qu'on apprend. Nous prétendons que, par définition, les enfants veulent plaire aux adultes et, de fait, l'erreur n'est pas voulue.

Pour les adultes, le principe est le même. Au lieu de ne réagir que lorsqu'ils se trouvent en situation d'échec, il est préférable de les complimenter et de les rassurer sur la qualité de leurs actions.

Comment reconnaître que l'erreur est humaine

Ce serait une erreur de demander aux parents d'être infaillibles. L'erreur doit être source d'apprentissage. La plupart du temps, pour un enfant, jusqu'à l'adolescence, les parents sont perçus comme les plus grands, les plus forts, les plus beaux, ceux qui ne se trompent jamais! L'enfant s'imagine qu'ils peuvent tout régler et également qu'ils savent tout. Ainsi par exemple, un enfant qui se fait bousculer ou dominer de façon agressive par un autre enfant, menacera celui-ci en disant : «mon papa est bien plus fort que le tien et viendra le battre si tu me touches.» Il est clair que, pour l'enfant, l'adulte est plus grand et plus fort et représente l'invincibilité.

Dans la réalité, les parents commettent parfois des erreurs. Ne soyez pas malheureux et ne vous sentez pas obligé, en tant que parent, de vous disculper. Si vous reconnaissez votre erreur, l'enfant se sent solidaire et cela le rassure face à celles qu'il peut commettre lui-même. Il faut démystifier l'image du parent tout-puissant. Par contre, il s'impatientera si vous persistez à présenter l'image du parent infaillible.

Chaque enfant veut plaire à ses parents et fera tout en conséquence, bien que le visuel et l'auditif procèdent différemment. Pourtant, dans certains cas, l'enfant n'arrive pas à plaire. Le défi que les parents ont alors à relever est celui de répondre aux autres éléments contenus dans la demande, éléments qu'ils n'ont pas reconnus immédiatement. Rappelons que l'adulte a tendance à interpréter les choses à la manière de ses propres parents qui vivaient dans un autre contexte et dont le mode d'interprétation n'était pas le même.

Pour les adultes qui font une erreur, il y a lieu de leur faire prendre conscience de leur erreur, tout en les encourageant à chercher eux-mêmes la solution, ce qui devrait les empêcher de tomber deux fois dans la même erreur.

Comment rester soi-même

Souvent, lorsque l'enfant pose une question à sa mère et ensuite à son père, les parents se sentent obligés de donner la même réponse. Dans les générations antérieures, la société imposant le même cheminement à tout le monde, mais sans tenir compte des dispositions particulières à chacun, les parents se sentaient obligés de répondre la même chose. Ils étaient contestés s'ils s'aventuraient à parler autrement que l'autorité. Ainsi étaient-ils maintenus dans ce mode d'éducation et de perception du temps, soit par l'école, les amis, les voisins, le clergé, etc... Peu de gens risquaient de parler autrement que les autres.

De nos jours, si vous tentez de toujours dire la même chose que votre voisin ou que vos amis, on pensera de vous que vous n'avez aucune opinion personnelle. Dans les faits, ce qu'on enseigne à la maison aux enfants est automatiquement interprété ou présenté différemment lorsque l'enfant sort de chez lui. Aussi, chacun essaie de donner sa propre opinion ou son propre conseil en fonction d'une des multiples théories, la mieux retenue, ce qui a pour effet qu'un des conjoints peut aboutir à une salade de théories dont certains ingrédients sont nettement reconnus comme indigestes par l'autre conjoint.

Dans un couple — celui-ci étant formé d'un visuel et

d'un auditif — la perception des choses ou la réponse aux questions n'est pas la même. C'est-à-dire que chaque conjoint voit une face de la médaille. Il en va de même dans leur façon de répondre aux questions des enfants. Ne voyant pas les choses sous le même angle, chacun ne peut répondre qu'à la moitié de la question. Ainsi, il y a lieu de développer les deux aspects de la réponse lorsque l'enfant pose une question. Autrement dit, vous pouvez dire à l'enfant : «Moi, maman, je vois la situation de cette manière, mais papa la voit autrement». Il faut alors encourager l'enfant à aller consulter l'autre parent.

Toutefois, je voudrais rassurer les parents en leur disant que, spontanément, les enfants vont souvent poser la même question aux deux parents, l'un après l'autre, mais ne croyez surtout pas qu'il s'agit de tester les parents; ils essayent plutôt d'avoir la réponse complète ou les deux côtés de la médaille, ce qui a pour effet de les rapprocher des réalités qu'ils auront à vivre.

Je voudrais également encourager les adultes à faire la même chose, soit consulter deux personnes de profils différents pour obtenir une vue d'ensemble, mais aussi à ne pas se sentir obligés de dire la même chose que l'interlocuteur, si celui-ci n'est pas du même profil. Le jeu de la complémentarité et de la correspondance se faisant, on obtient alors un résultat plus adéquat.

Comment? — pourquoi? = relatif? — absolu?

Lorsque nous observons un visuel lors d'une conversation ou en action, nous prenons conscience de l'effort que celui-ci fournit pour nous plaire. Il veut tellement plaire que, s'il a l'impression que nous pouvons interpréter sa réponse de travers, il lui arrive de mettre littéralement les pieds dans le plat. Devant son inquiétude du qu'en dira-t-on, le visuel fera tout en son pouvoir pour plaire. Ainsi, ne soyez pas surpris de son attitude lorsque vous lui demandez un service : même s'il ne se sent pas capable de faire ce que vous lui demandez, il n'osera pas refuser et vous demandera spontanément : «Comment veux-tu que ça soit fait?» Il ne lui viendrait pas à l'idée de vous demander : «Pourquoi veux-tu que je te rende service?», de peur que nous n'interprétions cette question comme un refus.

Quant à l'auditif, généralement, il s'arrange pour ne pas déplaire. Il est moins inquiet du qu'en dira-t-on et il se sent plus à l'aise dans ses questions et réponses. Pour lui, c'est relatif. S'il plaît, tant mieux, s'il ne plaît pas, tant pis. Il tentera de s'y prendre autrement une prochaine fois. Il ne s'inquiétera donc pas de vous demander, lorsque vous l'invitez à faire une chose : «Pourquoi veux-tu que je fasse telle chose?» Ainsi, suivant le genre de question qu'on vous posera suite à une de vos demandes, vous saurez qui est devant vous : un visuel ou un auditif!

Comment concrétiser l'abstrait

Si vous racontez une histoire à un auditif et à un visuel, l'auditif semble vous comprendre nettement plus vite que le visuel. Le visuel vous demandera d'illustrer ce que vous lui racontez. Dans les faits, le visuel n'arrive pas, tant et aussi longtemps que vous ne lui avez pas *montré*, à se faire une image mentale, alors que pour l'auditif cela semble «inné».

Nous devons donc apprendre au visuel comment se fait l'image mentale et comment il peut arriver à faire sa preuve.

Par exemple, lorsque vous demandez à un enfant de l'école primaire : combien font 2 + 2, il vous répond 4. Si vous lui dites que, pour vous, cela fait 3, il vous regarde ou baisse la tête mais n'osera pas vous contredire. Et si vous lui posez la question de savoir qui a raison, il vous dira alors que c'est vous. Il faut donc montrer à l'enfant comment il peut reconnaître 2 + 2, c'est-à-dire, lui montrer deux doigts de la main gauche et deux doigts de la main droite. Demandez-lui alors de compter, de bien regarder les doigts, donc de les photographier «dans sa tête» et ensuite de fermer les yeux. Si vous lui demandez s'il voit vos doigts, l'enfant répond spontanément «non». Demandez-lui de regarder de nouveau et de bien penser à ce qu'il voit, et ensuite posez-lui à nouveau la question. A la longue, l'enfant parvient à créer l'image mentale.

Le principe est le même pour certains mots que l'on ne peut retenir autrement que par cœur. Demandons à l'enfant de regarder le mot au dictionnaire et ensuite de fermer les yeux, de le mémoriser et puis l'écrire, et ainsi de suite...

Lorsque nous sommes sûrs que l'enfant y est parvenu, nous lui apprenons à faire sa preuve. Le principe est à peu près le même que précédemment mais cette fois, si l'enfant affirme que 2 + 2 font 4, nous lui demandons de nous le prouver. La preuve sera de nous l'expliquer et ensuite de nous la démontrer comme il nous l'a expliquée.

En ce qui concerne l'enfant qui n'est pas en âge scolaire, nous pouvons déjà lui apprendre à faire sa preuve, en lui demandant de nous décrire des activités qu'il réussit bien ; ensuite, nous lui demandons de nous le montrer. C'est ainsi que l'enfant parvient à prendre de l'assurance face aux choses qu'il ne peut pas toujours vérifier visuellement, et qu'il peut prouver ce qu'il dit connaître.

IIIᵉ PARTIE

D'autres perspectives

Ce concept des auditifs et des visuels, comment peut-on le rendre opérationnel en quelque sorte, dans tous les aspects des relations humaines?

Comme nous l'avons vu, la connaissance de cette dualité de perception peut rendre plus aisée la communication entre parents et enfants, par exemple. Pourrait-elle également être d'application dans les relations de travail? Ainsi, y aurait-il un profil mieux disposé que l'autre au leadership?

Et dans le couple où les partenaires sont toujours de profil complémentaire, ne serait-ce pas par ignorance de cette réalité qu'on en arrive à la désunion? Voilà des champs d'investigation qui ne manquent pas d'envergure.

Toujours dans le domaine des possibles, citons l'expérience vécue par le Docteur Racicot selon laquelle le profil, visuel ou auditif, serait inné et non acquis.

Voici donc encore bien des questions à débattre et bien des recherches en perspective afin de donner à tous les moyens de mieux communiquer et s'aimer.

Le leadership

Qu'entendons-nous par «leadership»? Tout le monde, dans notre société actuelle, parle de «leader», de crise de «leadership». Plusieurs personnes se sont penchées sur cette notion qui a encore fait l'objet d'un colloque récemment organisé par l'E.N.A.P. (Ecole Nationale d'Administration Publique). Est-ce un nouveau mot à la mode, a-t-il vraiment une signification? N'a-t-on pas trop vite tendance à dire d'une personne qui a un peu d'autorité, ou qui se trouve en poste d'autorité, que c'est un «leader»? Et tout le monde peut-il s'appeler «leader»?

Si vous posez la question au docteur Lafontaine, vous risquez de vous faire répondre qu'une partie, au moins, de la difficulté à s'entendre sur ce qu'est le leadership, réside dans le fait que les auteurs se situent la plupart du temps à un niveau différent de langage lorsqu'ils traitent de ce sujet, sans se rendre compte de cette problématique. Eh oui, il y a là des *niveaux* de langage, car croyez-moi, amusez-vous à demander autour de vous ce qu'est un «leader» et écoutez! C'est très amusant toutes ces définitions. Tout le monde croit connaître, mais personne ne sait!

D'après monsieur Larousse (et je l'aime monsieur Larousse, il nous en apprend tellement!) *leadership*, c'est un mot anglais signifiant commandement, hégémonie. (Entre nous, au dictionnaire encore, hégémonie veut dire : suprématie d'une ville, d'un état). Donc, un leader, c'est quelqu'un qui commande et ici je vous fais grâce de la définition du dictionnaire.

Mais tout le monde peut-il commander? Si nous vous répondons OUI, vous vous dites : ils sont fous ceux-là, mais si nous vous disons NON, alors cela devient plus intéressant, car qui peut et doit commander? En sociologie, on nous dit que, dans notre société, un pour cent des gens a de l'initiative, alors que neuf pour cent les aident à actualiser cette initiative et les 90 % d'autres suivent — «follow the leader».

En psychologie cognitive où on étudie la créativité, on nous dit que deux pour cent des gens sont créateurs et que huit pour cent les épaulent. De notre point de vue, nous ne pouvons concevoir un leader sans qu'il soit créateur. Mais que faut-il pour être leader créateur ?

La créativité demande la complicité des deux hémisphères du cerveau, mais de notre point de vue encore, plus que cela, c'est-à-dire des profils neuro-sensoriels de base, soit visuel et auditif, bien intégrés, afin de pouvoir se servir de l'un ou de l'autre suivant la situation ou le contexte. Curieusement, on trouve dans le colloque «Crise et Leadership» cité plus haut, un tableau qui fait ressortir les différences entre l'ancien et le nouveau paradigme conçu dans le but de concilier ces deux extrêmes. Or, quelle n'est pas notre surprise de constater ici encore que ces deux extrêmes correspondent étrangement au concept des visuels et des auditifs du troisième niveau. Ce tableau se lit comme suit :

Ancien paradigme	nouveau paradigme
Stabilité, permanence	Flexibilité, adaptation
Uniformité	Diversité
Tout est connu, prévu	Auto-éducation, découverte
Croissance	Développement
Les formes déterminent	L'objet défini
Vision mécanique	Vision organique, systémique
Indépendance des systèmes, spécialisation	Interdépendance, interconnexions, mentalité généraliste
Hiérarchie forte	Autonomie forte
Gestion centrée sur l'interne	Gestion à la frontière
Gestion : contrôle les façons de faire	Gestion : contrôle l'atteinte des résultats
Gestion : responsable du maintien de la stabilité	Gestion : responsable de l'adaptation
Production subordonnée à la gestion	Gestion comme support à la production
Satisfaction par la quantité dans la conformité	Atteinte de la quantité et de la qualité par la satisfaction
Régularité	Esthétique

Tel que mentionné ci-dessus ce tableau ne représenterait que le troisième niveau. Or il ne faut pas oublier qu'il y a deux autres niveaux. Effectivement, tant et aussi long-temps qu'un individu restera au niveau primaire ou sur ce qu'on appelle la défensive, l'individu ne pourra pas être vraiment créateur : ou il prend le style d'un dictateur ou il aura tendance à rester soumis, la peur le paralysant dans toutes ses initiatives. Au deuxième niveau, il sera très heureux de ses découvertes mais tentera de les faire entrer dans le cadre habituel et parfois imposé par son entourage pour faire plaisir.

La résultante de l'interaction des trois niveaux du cerveau est l'explosion du génie créateur personnel à tout homme, au profit de l'humanité dans sa complexité et c'est ici que devrait se retrouver le vrai leader.

Donc, pour être leader, il faudrait, idéalement, au niveau du vécu, de la confiance en soi, qui se caractérise par une certaine capacité de tolérance de situations paradoxales, et d'initiative. Etre assez autonome, vouloir réussir et pouvoir juger dans un sens ou dans l'autre selon le contexte. Mais il faudrait encore, pour être leader, avoir une pensée non seulement créative mais logique en même temps. Peut-on dire alors que les créateurs sont des leaders ? Voyons maintenant comment cela se passe !

A vos ordres ou à mes ordres ?

Tout au long de ce livre, nous parlons de deux styles différents mais complémentaires de perception et d'inter-prétation de l'information. Nous retrouvons également ces deux profils au niveau du leadership, mais celui-ci ne s'exerce pas de la même manière selon que l'on est visuel ou auditif.

● **Quel type de leader est le visuel ?** Si nous nous souve-nons des caractéristiques du visuel, nous savons que c'est une personne de l'instant, un être immédiat, qui aime les choses concrètes et qui se voient au premier coup d'œil. Il a aussi tendance à paraître dominant, car il n'attend pas ; il donne des ordres! Mais est-ce bien lui le leader?

Après une étude terminée récemment, nous savons que le visuel préfère une information verbale ou de vive voix, mais il demandera l'écrit ensuite, pour pouvoir visualiser ce qu'il a entendu. C'est un individu ayant un type de pensée linéaire, au point de vouloir tout programmer à l'avance. Il agit aussi très vite, quitte à corriger sa stratégie en cours de route. D'ailleurs, il ne se sent pas réellement à l'aise lorsqu'il doit prendre des décisions à long terme; il préfère les prendre au fur et à mesure, étant anxieux s'il doit attendre le résultat.

S'il commet des erreurs, celles-ci ne sont pas toujours apparentes au premier abord, vu qu'il corrige en cours de route, mais à la longue, si cela se renouvelle trop souvent, l'auditif, qui se sent obligé de s'ajuster constamment, peut en être indisposé.

Le visuel, surtout axé sur la vision, a donc besoin d'extérioriser un message, une perception, d'en faire une image. Il préfère l'action à la réflexion, ajustant ses attitudes au fur et à mesure des événements. C'est le praticien de la théorie. Quand il commande, on doit s'exécuter immédiatement. Il vient voir souvent si tout marche bien. Toutefois, le souci du détail et le fait d'être perfectionniste, l'empêchent souvent de déléguer une partie de la tâche.

Le leader visuel, dans certains cas, peut se croire contesté. S'il donne un ordre et que l'employé lui demande pourquoi il doit l'exécuter, il peut croire, s'il n'est pas au courant du concept des auditifs et des visuels, que l'employé conteste son commandement.

Par exemple : le directeur général d'un Centre d'accueil, appelle le docteur Lafontaine (alors président de ce même centre) pour lui dire qu'il est obligé de licencier deux employés. Faisant confiance au directeur général, le docteur Lafontaine acquiesce à la décision du directeur. Une heure plus tard, se posant des questions quant aux raisons invoquées pour licencier ces deux personnes, le docteur rappelle le directeur et lui demande : «pourquoi voulez-vous renvoyer ces gens là?» Le directeur lui répond : «pour insubordination». Nous savions que ce n'était pas l'attitude habituelle de ces deux personnes; aussi, le docteur demanda au directeur ce qui lui avait fait dire que les employés étaient insubordonnés. Il répondit alors : «je leur ai demandé d'exécuter une tâche, et ils m'ont demandé *pourquoi?* Aussi, je crois que c'est suffisant». Le docteur se mit à rire et expliqua au directeur que ses employés étant auditifs, il était normal qu'ils posent ce genre de question, mais en bon visuel, le directeur n'avait pas fait la nuance. Et le tout est rentré dans l'ordre.

Nous remarquons donc ici que le visuel a tendance à avoir un leadership plutôt personnel et individuel. Sa dominance se traduit par l'immédiat ; sa créativité se manifeste dans l'action et se renouvelle à court terme.

Laisser croire que les autres commandent...

● **Le style de leadership de l'auditif** est différent de celui du visuel et nous pourrions dire même à l'inverse de celui-ci. L'auditif préfère avoir les informations par écrit, ce qui lui donne le temps d'étudier la situation et d'en faire le tour ; ce profil ayant un type de pensée circulaire, il aime avoir du temps avant de prendre une décision, et celle-ci est généralement prise à long terme. D'ailleurs, n'avons-nous pas déjà dit que l'auditif était le «maître penseur»?

Les décisions à court terme le dérangent, car il ne peut envisager toutes les alternatives et il se pose alors la question de savoir s'il a vraiment pris la bonne décision. Il est axé sur l'écoute et éprouve le besoin d'intérioriser le message. C'est pour cette raison qu'il préfère la réflexion à l'action. En fait, c'est le théoricien de la pratique, souvent le «cerveau» d'un projet. Les projets sont majoritairement à long terme pour lui, ce qui ne l'empêche pas de faire des projets à court terme.

Le leader auditif se différencie encore du visuel par le fait qu'il semble ne rien faire ; il délègue tellement qu'on a l'impression que ce sont les autres qui travaillent. En fait, il fait confiance à l'habileté de ses employés et il contrôle leurs performances à distance.

Contrairement au visuel qui emploie un mode direct de

commandement, l'auditif fera savoir qu'il aimerait que certaines tâches soient exécutées, mais de façon moins directe et il peut alors laisser croire à son adjoint que c'est plutôt lui, ou les autres, qui commandent. Mais détrompez-vous, un auditif ayant un projet en tête, même s'il permet au visuel d'être au premier plan, arrive toujours à ses fins!

Nous voyons donc par ces descriptions que les deux profils sont complémentaires et l'association d'un leader avec son complément devrait représenter l'équipe idéale de commandement, pour autant que l'équipe soit consciente de la complémentarité de chacun.

J'aimerais ici informer le lecteur qui aurait été surpris en lisant que le visuel demandait une information verbale — alors que c'est lui qui regarde — et que l'auditif demandait une information écrite — alors que c'est lui qui écoute : il s'agit dans ce cas du facteur «temps». Effectivement, le visuel demandant des solutions rapides, pourra déjà se faire une idée de ce qui va se passer après en avoir eu l'explication verbale et ainsi entrer immédiatement en action. Quant à l'auditif, il préférera avoir cette même information par écrit, lui permettant ainsi de réfléchir aux éléments de solution et planifier celles-ci avant d'entrer en action.

Et, pour aider les leaders dans leur tâche d'administrateur et de communicateur, nous vous présentons le tableau suivant de réponses obtenues à partir d'un questionnaire administré à 400 adultes, dont la moyenne d'âge était de 35 à 40 ans. Malgré la capacité d'adaptation de la majorité des répondants à cet âge, c'est-à-dire leur capacité de jouer le jeu de la vie, nous avons quand même pu identifier 28.75 % des gens accusant encore une nette dominance.

Réponses significatives en % à 65 % et plus

	auditif	*visuel*
1. Solution : à court terme		88.– %
Solution : à long terme	75.6 %	
2. Problèmes : agir et penser		67.5 %
Problèmes : penser et agir	91.8 %	
3. Devant l'inconnu : inquiet		65.– %
Devant l'inconnu : intrigué	70.– %	
4. L'objectif : détails		79.2 %
L'objectif : global	78.3 %	
5. Préfère un schéma		90.7 %
Préfère entendre	67.5 %	
6. Exprime : détails		75.– %
Exprime : synthèse	81.8 %	
7. Préfère : concret		89.6 %
Préfère : abstrait	67.5 %	
8. Praticien de la théorie		72.7 %
Théoricien de la pratique	81.– %	
9. Le *comment* agir		76.– %
Le *pourquoi* agir	78.3 %	
10. Apparence : importante		88.– %
Apparence : non importante	75.6 %	
11. Approbation : besoin		88.3 %
Approbation : non besoin	75.6 %	

Il y a évidemment d'autres résultats tout aussi marquants, mais nous avons jugé préférable de ne donner ici que les plus significatifs.

Voilà donc comment nous voyons nos deux types de leaders et n'oublions pas que chacun a sa place dans ce monde, tout dépendant du contexte global. Dans les faits, cette complémentarité existe déjà dans plus d'une équipe de travail.

Le couple

La notion de couple a toujours existé. L'association du genre féminin avec le genre masculin, tant au niveau animal qu'humain, a le pouvoir d'assurer la progéniture. Jadis, cette progéniture était à la fois le but du couple et sa fierté. De nos jours, le couple ne se forme plus seulement pour être parents, mais pour apprendre de quelqu'un d'autre, celui ou celle qu'on aime, quelqu'un avec qui on espère vivre toute une vie.

Toutefois, peu de gens sont préparés à vivre avec ce quelqu'un d'autre ayant une personnalité différente, une éducation différente, une psychologie différente, une vision des choses et un contexte social différents.

Cependant, il semble que le sens d'adaptation de l'individu est assez fort pour que les trois quarts d'associations entre hommes et femmes demeurent jusqu'à ce «que la mort les sépare». Certains respecteront ce dicton par amour pour l'autre, d'autres par conviction religieuse ou par convention sociale et monétaire, d'autres encore par sens du devoir et d'autres enfin pour les enfants.

Voyons maintenant les genres de couple que nous rencontrons dans notre vie de tous les jours.

Le couple à l'eau de rose

En parlant avec Madame, vous lui demandez sans curiosité, car vous n'êtes pas curieux: «Pourquoi vous êtes-vous mariée avec ce genre d'homme?» Et la réponse vous vient tout de go: «Parce que je l'aime. Quand je l'ai rencontré il avait un petit je ne sais quoi qui me faisait penser à tel acteur! et puis les gens nous trouvaient bien assortis. Nous avons une entente parfaite, on ne se contredit jamais. Si je lui parle, il m'écoute sans me contrarier, mais si je dois lui demander une faveur, j'attends le bon moment car mes parents m'ont toujours dit de ne rien faire qui ne soit décidé par mon mari. Je l'aime tellement que je ne voudrais risquer pour rien au monde de le perdre. Lui-même m'a toujours avoué qu'il ne regardait aucune autre femme que moi! etc...».

Ce dialogue pourrait encore durer longtemps. Mais dans le couple, quel genre de communication y a-t-il?

Ce que j'appelle le couple à l'eau de rose, c'est le couple qui a tendance à se regarder dans les yeux mais qui n'essaie pas de voir ce qui l'entoure, encore moins d'en discuter. Ils sont centrés sur leur univers de «je t'aime et tu sens bon...», mais leur bonheur n'a rien de rayonnant. St-Exupéry n'a-t-il pas défini le couple de la façon suivante: «aimer, ce n'est pas se regarder l'un l'autre, mais c'est regarder ensemble dans une même direction»? Déjà il préconisait la complémentarité et, en sous-entendu, le dialogue qui fait que les individus voient chacun le côté inverse de la montagne mais grimpent chacun de leur côté pour trouver l'autre au sommet.

Le grand rôle ou le rôle secondaire?

Premier acte de la pièce «la vie quotidienne». Le décor est le suivant: une petite chapelle, éclairage tamisé par les vitraux, deux personnages et beaucoup de figurants. Les personnages importants sont: ELLE et LUI.

Elle est belle dans sa robe blanche. Il est beau dans son habit de cérémonie. Ils sont jeunes, remplis d'espoir et surtout, ils s'aiment. Cette dernière remarque justifie l'association de ces deux personnes. Selon la tradition, la scène se passe comme suit: «Donnez-vous la main droite en signe d'amour et de fidélité. Unissez-vous maintenant l'un à l'autre par les liens sacrés du mariage.» Puis, le célébrant s'adresse au fiancé et lui demande de répéter après lui: «je te prends toi, ... pour ma légitime épouse. Je promets d'être fidèle et je serai avec toi en toute nécessité.» Ensuite, il s'adresse à la fiancée et lui demande de répéter après lui le même serment mais en ajoutant toutefois «l'obéissance». La jeune épouse, toute heureuse, s'empresse d'acquiescer à cette promesse.

Au deuxième acte, les personnages sont les mêmes, mais le décor a changé. Après l'euphorie de la «lune de miel», les époux se retrouvent dans le quotidien. Tout ce que Monsieur demande lui est accordé par sa jeune femme, heureuse de lui faire plaisir et de se soumettre. Il a un «tas d'idées» qu'il n'a plus qu'à exécuter. Il est généralement le premier à passer à l'action, mais voilà, maintenant il y a «Madame». On se rend compte ici que «Monsieur» est visuel en plus d'être un homme. Il a donc droit de «dominance» et les choses continuent parce que «c'est comme cela que ça doit marcher!»

Dans l'acte suivant, on peut observer une autre scène. Monsieur veut parler mais Madame parle avant lui. Elle demande et il exécute. Pour elle, rien ne va assez vite. Curieusement, ce n'est pas la personne désignée pour obéir qui le fait, mais l'autre. Evidemment, Monsieur, bon auditif, se sent à l'aise de laisser sa femme au premier plan. On se rend compte alors que, généralement, dans le couple, c'est le visuel qui a tendance à dominer l'autre. Dans le cas où Monsieur est visuel, ce n'est pas un problème, on parle de tradition. Mais dans le cas où c'est Madame qui est visuelle on parle de contestation. Doit-on se demander où est la vraie complémentarité?

La complémentarité bien vécue

Certains couples, lorsqu'on les regarde, nous fascinent par leur harmonie tant physique que psychique. Pourtant, lorsqu'ils nous parlent, on se rend compte immédiatement qu'ils n'emploient pas les mêmes mots ou les mêmes expressions pour s'exprimer, mais ils s'entendent bien. Ils ont toujours un petit air complice dans ce qu'ils entreprennent. En fait, ils parlent le même langage de fond, mais chacun, à sa manière, apporte sa perception personnelle. Au lieu de tenter d'avoir raison l'un par rapport à l'autre, ils acceptent de voir le côté différent du conjoint. Ils sont émerveillés devant la richesse de leur apport mutuel et ne s'ennuient jamais. Toute chose découverte par l'un devient apprentissage pour l'autre et ainsi de suite... Ils sont fiers de leur association et conscients qu'ils ne peuvent plus vivre l'un sans l'autre. Si un des conjoints doit s'absenter, il ne craint pas que l'autre ne puisse se débrouiller et la joie des retrouvailles prend toujours une allure de fête. Leur accord subtil mais profond est un stimulant pour les autres. Aussi sommes-nous impressionnés devant cette entente tacite que nous appelons «complémentarité».

Les contraintes de la vie de couple

Une chaumière et deux cœurs, à ce qu'on entend, c'est suffisant pour être heureux. Mais de nos jours, il semble qu'il faut plus que cela. Alors qu'on trouvait les choses plus simples du temps de nos parents, la société actuelle nous impose ses conditions. Certains couples se sentent assez à l'aise face à ces contingences. Mais d'autres doivent faire une remise en question de leur association. Une chose est curieuse, face à cette remise en question, c'est la période où elle se fait. Il est vrai que lorsque le couple se forme, on parle d'amour avec un grand A. Ensuite viennent les enfants et on parle alors de «parents». Enfin, les enfants grandissent, prennent la relève et on se retrouve de nouveau à deux. Qu'est devenu l'amour «au goût de miel»? Chaque personnage du couple a évolué et s'est centré sur ses occupations distinctes et il arrive alors aux partenaires d'oublier le dialogue. Malgré tout, pour certains, le «goût de miel» demeure, mais pour d'autres cela devient «acidulé». D'abord les cheveux se teintent d'argent, les yeux sont moins espiègles et le temps laisse des marques sur le visage. On a donc l'impression de faire connaissance avec une nouvelle personne. Pourtant, on a toujours gardé cette personne à côté de soi comme par habitude. Cette habitude permet à certains couples de réapprendre à dialoguer; par contre, d'autres se demandent ce qu'ils ont encore en commun. Ces périodes survenaient autrefois après 20 ou 25 ans de mariage. Ensuite, ce fut entre 7 et 12 ans et maintenant, même au bout de deux à trois ans! Pourquoi?

Pourrait-on dire que la société, les structures et l'environnement nous demandent de tout connaître, de savoir tout faire à la manière des robots, mais en plus avec le sourire aux lèvres? La crainte de déranger l'autre amène l'auditif à se cantonner dans son monde de rêve et d'idéal, tandis que le visuel, cherchant un petit coin de soleil, aura tendance à s'éparpiller. Chacun regarde de son côté et la complémentarité n'est plus alors «convergence» mais «divergence». Pour éviter cet écart, il y a lieu d'apprendre à dialoguer. Que ce soit de nous-mêmes ou de la pluie et du beau temps, comme le dit la publicité, «il faut se parler» et «s'alimenter» mutuellement pour continuer d'évoluer.

Et les silences!

Que peut-on dire des silences que vivent, suivant les périodes, le couple? Avec le temps, nous remarquons qué c'est surtout l'auditif qui se tait au point de dire au visuel : «vas-y, explique-leur!»

Pourquoi l'auditif dit-il au visuel, «parle». Si vous lui posez la question, il vous répondra spontanément : «Dès que je veux exprimer quelque-chose, «mon» ou «ma» visuel-le, s'empresse de prendre la parole. Aussi, pourquoi ferais-je l'effort de parler!

Mais le «grand silence» s'installe après certaines années où l'auditif, se faisant constamment interrompre par le visuel, ne prend plus le temps d'expliquer ce qu'il pense et c'est alors que le visuel s'imagine que l'auditif «ne l'aime plus». C'est dès ce moment que les divergences s'installent, et si elles ne sont pas comprises à temps, elles peuvent engendrer la séparation.

Mieux vaut prévenir que guérir

Si votre visuel ne se fait plus dire, au cours des ans, qu'il est «beau», qu'il est «gentil», qu'on «l'aime», c'est le drame. Et le «pauvre» auditif (ve) a intérêt à être prudent (te) dans le quart d'heure suivant. Cela dure 24 heures. De grâce, mes amis auditifs, si vous ne vous sentez pas à l'aise de vous exprimer, n'oubliez pas qu'un geste vaut 100 paroles. Une bonne étreinte suffit pour rassurer votre visuel. Quant à l'auditif, rien ne vaut, pour le rassurer, que de lui faire prendre conscience de ce qu'il a obtenu, et de ce qu'il apporte au visuel.

Et maintenant, qui doit céder dans le couple? En fait, les deux doivent céder selon les circonstances, mais nous pouvons dire que l'auditif doit céder dans les «sentiments» et le visuel devra céder dans la «logique». Autrement dit, on peut être «sentimental» par «logique», mais non «logique» par «sentiment».

Les séparations — les divorces

Malgré tous les moyens, toutes les thérapies existantes, les conseillers matrimoniaux, les travailleurs sociaux etc... les couples parviennent encore à se séparer ou à divorcer. Vous devez sûrement vous poser la question de savoir si, dans le couple qui se sépare ou qui divorce, les deux conjoints sont de même profil. La question a du sens, vu que nous vous avons dit que tous les couples que nous avions vus étaient complémentaires. Alors, que se passe-t-il pour les autres?

Dans les cas de séparation ou de divorce que nous connaissons, nous pouvons affirmer, encore une fois, que les partenaires étaient complémentaires, mais contrairement aux couples heureux et sans histoire (n'oublions pas que les gens heureux n'ont pas d'histoire) qui sont convergeants, les autres deviennent divergeants. Effectivement, les deux conjoints étant pris chacun par leur problème, ne parviennent plus à se rassurer mutuellement; le dialogue se rompt et ils se retrouvent à un certain moment à n'avoir plus rien à se dire ; ils sont comme deux étrangers. Ils n'ont plus alors d'autre choix que de s'éloigner et de tenter de réapprendre à être HEUREUX.

Et les enfants me direz-vous ?

Les enfants veulent voir leurs parents heureux, de préférence ensemble, mais s'ils n'arrivent plus à s'entendre, ce sont les enfants qui demanderont aux parents de faire quelque chose pour régler leurs problèmes au point de se dire «pourquoi vivent-ils encore ensemble»?. Aussi, si l'un des deux parents ou même les deux ne mettent pas l'enfant en position de les juger, ceux-ci vont jusqu'à vivre une séparation de manière moins traumatisante.

Auditif ou visuel :
un profil inné ou acquis ?

Jusqu'à récemment, il nous semblait que le premier de deux enfants dans une famille optait pour le parent qui paraissait le plus confiant dans l'avenir lorsqu'il vient au monde.

Or, aujourd'hui, nous nous sommes rendus compte que la future mère ne porte pas les enfants auditifs et visuels de la même façon, au point qu'elle change de profil lorsqu'elle porte un enfant qui a celui de son conjoint.

Récemment, par exemple, une mère nous disait qu'elle savait que le jumeau de gauche (jumeaux non identiques dans ce cas-ci) était «celui de son mari».

Comment concilier ces deux observations prises à deux moments différents de l'évolution du bébé ? Si nous voulons respecter la logique de la démarche que les enfants nous ont amenés à suivre, pour expliquer ce paradoxe il nous faut faire appel à l'affirmation de Lennenberg* lorsqu'il dit d'un couple nature-culture que «ce ne peut être que le résultat d'interactions et non d'une simple dichotomie de facteurs».

* E. Lennenberg, Biological foundation of langage, Wiley, New Yc 1967.

Pas encore né et on communique déjà !

Par Gilles RACICOT, m.d.

J'aimerais vous présenter l'expérience que je vis, en relation avec le concept des auditifs et des visuels, depuis quelques années. Je peux vous dire dès maintenant que ce concept répond à une de mes attentes depuis que je pratique la pédiatrie, soit depuis 24 ans, dans un milieu mi-rural — mi-urbain.

Voici en quoi ce concept a pu m'aider dans la pratique : je vois souvent des enfants présentant des problèmes auxquels je trouvais des solutions valables, mais qui ne cadraient pas avec ce que j'avais appris. Avec ce concept, je suis pratiquement sûr de trouver une réponse que je peux vérifier à travers le vécu des parents et des enfants.

Cette façon de voir les gens et les choses enlève beaucoup de «cette agressivité malsaine» que l'on retrouve dans la société, dans certains couples et chez plus d'un enfant. Ce concept est une façon double de voir les choses : une double vision de la vie et deux aspects de l'être humain qu'on appelle «auditif et visuel».

Ces deux façons d'être, soit auditive soit visuelle, se retrouvent à la fois dans la façon de penser, dans la façon d'agir que ce soit sur le plan physique, moral et même sexuel, autrement dit, dans l'action et dans l'attitude générale de l'individu.

Durant les quatre années au cours desquelles je me suis servi du concept des auditifs et des visuels, je me suis forcé à l'appliquer à chaque patient venant me consulter, et ceci représente un nombre assez imposant d'enfants et de parents. Par ailleurs, ce concept demande plus de présence, plus de fatigue aussi, mais en contre-partie, cela m'a donné plus d'agrément et m'a amené à faire des découvertes assez intéressantes et réconfortantes, autant pour mon milieu, les enfants, la femme enceinte, que pour moi-même.

Ce concept m'aide aussi dans les cas d'obésité, les cas de migraine, les troubles d'adaptation familiale et scolaire, les troubles du sommeil même chez le nouveau-né et des troubles d'alimentation, de sorte que le concept a sa place dans tous les cas qui relèvent de la médecine.

On demande au médecin d'être «humain»! Je crois que c'est la façon de l'être totalement, car travaillant en milieu rural, je me suis rendu souvent dans les foyers.

Ce concept m'a permis de constater et de comprendre les problèmes ou les troubles des milieux, de façon à la fois rationnelle et pratique.

Autrefois, il y avait de grandes familles, des familles comportant cinq, dix, et parfois plus d'enfants. Ceux-ci, habituellement, s'élevaient entre eux avec l'aide des cadres scolaires et religieux, les parents de l'époque ne pouvant suffire à la tâche. Aujourd'hui, la plupart des familles sont réduites à un, deux ou trois enfants au maximum. Les parents doivent donc «jouer le jeu» et s'impliquer au niveau de l'éducation de l'enfant.

La manière dont le jeu doit se jouer et la répartition des rôles vous est expliquée dans d'autres chapitres de ce volume. Aussi, tentons de commencer par ce que nous croyons être le début.

Nos observations nous ont amenés à constater que, lorsqu'une femme est enceinte, elle a tendance à prendre le tempérament du bébé qu'elle porte. C'est-à-dire : si une future maman auditive porte un enfant auditif, elle renforcera alors son profil, et deviendra encore plus auditive. Au contraire, si cette même future mère auditive porte un enfant visuel, elle aura tendance à changer sa dominance et ainsi prendre le même profil que son mari. Le même phénomène se produit lorsqu'il s'agit d'une femme visuelle portant un bébé visuel : elle deviendra encore plus visuelle. Elle invertira son profil si le bébé qu'elle porte est auditif. Dans les deux cas où elles portent un bébé de profil différent du leur, elles se disent agressées et ne se reconnaissent plus.

Caractéristiques comportementales des futures mères

● **La femme enceinte visuelle :** lorsqu'elle porte un bébé visuel, augmentant ainsi son propre profil, la future mère se sent généralement plus belle, elle est plus vive dans ses réactions, plus stimulée pour entretenir la maison. Elle accepte moins les caresses et le contact physique. Elle est plus elle-même, plus poétique, plus sentimentale, plus fragile ayant facilement «la larme à l'œil». Ce comportement légèrement amplifié par rapport à son comportement habituel, ne dérange en rien son entourage. Mais on a l'impression de la retrouver plus jeune, plus fragile, *insécure,* acceptant plus difficilement que son mari s'absente et ayant besoin de sa présence un peu plus comme celle d'un père ou d'un être protecteur. Elle aura tendance à être un peu plus possessive. Dans d'autres circonstances, si elle le pouvait, elle tenterait aussi de rejoindre ses parents plus souvent, soit en allant les voir soit en leur téléphonant.

Cette même femme visuelle, portant un enfant auditif, devient auditive dès le premier mois de la grossesse. Elle devient plus rationnelle, remet plus facilement à plus tard ce qu'elle faisait habituellement immédiatement. D'ailleurs, elle se plaint de laisser plus facilement traîner les choses, de remettre au lendemain ce qui pouvait être fait le jour même etc... Elle se dit aussi plus souvent fatiguée, n'ayant pas le «cœur à l'ouvrage».

Nous remarquons donc que cette future mère est moins vive dans ses réactions. Voici un exemple. Je demandai un jour à une femme si elle était moins agressive depuis qu'elle était enceinte? Elle me répondit : «Docteur Racicot, une femme plus agressive que moi, je ne crois pas que ça existe. La moindre personne qui me regarde, me donne l'impression qu'elle m'agresse mais depuis que je suis enceinte, je suis une véritable «andouille»; les gens m'attaquent sans que je réagisse, mais je leur ai promis de prendre ma revanche après mon accouchement». Nous avons appris que c'était ce qu'elle avait fait après la naissance de son bébé.

On constate également que la future mère visuelle, enceinte d'un bébé auditif, ne passe plus son temps à demander ou répéter deux fois la même chose. Elle passe directement à l'action. Elle se croit agressive parce qu'elle ne répète plus, à l'instar de tout auditif. Elle ne sent plus le besoin de plaire autant, et ne s'en fait pas si une personne lui dit qu'elle est moins belle enceinte. Elle demande également plus facilement des caresses, et le contact physique se rapproche davantage de la forme qu'il prend chez l'auditif. Ses craintes sont moins marquées et elle se dit «plus brave». Par exemple, la visuelle ayant peur de conduire en ville, le fera sans crainte lorsqu'elle porte un bébé auditif.

Ces futures mamans ayant déjà d'autres enfants, nous mentionnent aussi que dans ces circonstances, elle comprennent moins bien leurs enfants visuels. Nous avons également remarqué, au cours de ces observations, que les futures mères visuelles susceptibles en temps normal lors de taquineries, les acceptaient beaucoup mieux durant la grossesse de leur enfant auditif.

● **La femme enceinte auditive :** comme la femme visuelle, si elle porte un bébé auditif, elle ne changera pas de caractère. Elle aura tendance à augmenter la dominance de son profil et on lui dira qu'elle parait bien, qu'elle semble en santé et non qu'elle est belle. Elle est un peu plus lente et se sent moins courageuse pour entreprendre certaines choses, les laissant pour le lendemain. Elle prend moins facilement des décisions et perd aussi un peu de son indépendance, manifestant alors le besoin de la présence de son mari de manière plus sécurisante «comme j'avais besoin de mes parents à l'âge de 12 ans». Elle semble, comme la femme visuelle, rajeunir le temps qu'elle porte un bébé ayant son profil et, comme chez cette dernière, lors de l'apparition d'un deuxième enfant du même profil, ce phénomène sera très atténué.

Cette même future maman auditive portant un bébé visuel, prend les caractéristiques comportementales de la visuelle, c'est-à-dire qu'elle devient plus rapide dans ses réactions, croyant ainsi être agressive. Si elle demande quelque chose, il faut que ce soit fait tout de suite. Elle répond davantage si elle à l'impression d'être agressée.

Elle se dit moins sensible quant à elle-même. Par contre, elle devient très permissive avec ses enfants. Elle se sent plus belle et elle se le fait dire. Elle fait beaucoup plus attention a sa tenue mais elle acceptera moins facilement que d'habitude les caresses ou le contact physique. Tout ceci fera dire à son mari qu'il est impatient que sa femme accouche!

Comme vous avez pu le lire, dès qu'une future mère porte un enfant d'un profil différent du sien, son profil de base et son comportement sont intervertis mais nous avons également remarqué que le comportement naturel et le profil de base reprennent leurs droits quelques jours après l'accouchement.

L'exemple que nous pouvons vous donner est le suivant. Une dame venant me consulter avec un enfant me dit qu'elle croyait bien être enceinte. Je lui pose la question de savoir si son caractère avait changé. Elle me répond : «non» mais la personne qui l'accompagnait ce jour là, ajoute qu'elle trouvait que son caractère avait changé et rappela à cette dernière qu'elle lui avait avoué elle-même, quelques minutes plus tôt, avoir senti un grand changement de personnalité. Maintenant, elle pouvait comprendre pourquoi!

Non conscientes de ce phénomène, certaines femmes peuvent se sentir angoissées, agressives, alors que d'autres trouvent l'expérience enrichissante et acceptent cet état de chose. Elles peuvent cependant mal accepter de redevenir ce qu'elles étaient avant la grossesse, d'où un syndrome de dépression post-partum.

Donc, nous pourrions expliquer le phénomène de dépression post-partum (après accouchement) par le fait que la mère ayant porté un enfant de profil différent du sien retrouve sa personnalité d'avant sa grossesse et ne l'accepte pas.

Ainsi, il semble que ces personnes se préféraient telles qu'elles se trouvaient enceintes et non comme elles étaient avant. Souvent, c'est parce que ces personnes, lorsqu'elles étaient enfants, n'ont pas été valorisées dans leur milieu, quant aux qualités personnelles qu'elles possédaient. Elles tentent donc de garder la personnalité qu'on attendait d'elles et qu'elles ont subie pendant la grossesse.

La femme ayant déjà eu un enfant du profil opposé, ou deux enfants, semble posséder cette connaissance intuitive, qui rejoint la notion d'instinct maternel, ce qui lui permet de comprendre un peu mieux son petit et en même temps son mari qui, comme nous l'avons vu dans un autre chapitre, a forcément un profil différent mais complémentaire au sien. «Pour une fois, la femme a le dessus!» Nous notons que la femme ayant déjà eu un enfant de profil différent du sien n'agira plus de la même façon avec son mari après cette grossesse. Cependant, ayant eu connaissance, durant la grossesse, de ce que peut ressentir l'autre, elle peut mieux comprendre certains agissements ou certaines manières de penser de l'enfant et de son époux.

Maintenant, essayons d'expliquer ce qui semble se passer chez le bébé pendant sa vie intra-utérine.

Certaines femmes peuvent vivre durant les neuf mois de leur grossesse sans prendre conscience de ce qui se passe entre elle et leur futur enfant, soit qu'elles n'en prennent pas conscience soit en raison de causes extérieures telles qu'un déménagement, un décès, etc... Plusieurs diront d'ailleurs que ce fut une grossesse sans problème, n'ayant pas été dérangées par les nausées, les mouvements du bébé etc... Par contre, d'autres futures mères vivent leur grossesse de façon extraordinaire, c'est-à-dire qu'elles sont conscientes de la manière dont bouge l'enfant, dans quelles circonstances il bouge et ainsi de suite...

La mère qui porte dans son sein un bébé très actif ou très passif, indépendemment des profils, aura tendance à réagir de la même façon que le bébé qu'elle porte.

Caractéristiques des bébés intra-utéro, selon les profils

● **L'auditif :** nous avons remarqué que c'est l'enfant qui a tendance à bouger beaucoup plus le soir, quand la mère est au repos ou quand elle est assise. Il ne bouge pratiquement pas le jour, comme s'il voulait laisser la liberté de mouvement à sa mère et ne prendre le temps de sa mère que lorsqu'elle est vraiment disponible.

● **Le visuel :** c'est l'enfant qui bouge à n'importe quel moment du jour. Déjà, il se manifeste comme un être de l'instant.

● **L'auditif :** lors de nos observations, nous avons remarqué que l'enfant auditif dort toujours dans la même position. Aussi, lorsque l'enfant commence à bouger dans le sein de sa mère, si celle-ci tente de s'endormir d'un autre côté que celui choisi par le bébé il bougera jusqu'à ce qu'elle lui donne satisfaction.

● **Le visuel :** il ne semble pas avoir de côté privilégié et il accepte que la mère se couche d'un côté ou de l'autre et même sur le ventre. Ces mères-là sont rarement dérangées dans leur sommeil par les mouvements du bébé.

● **L'auditif :** il semble ne pas vouloir se sentir serré dans le ventre de sa mère. Il l'oblige généralement à porter des vêtements amples et la mère note qu'il veut prendre plus d'espace. Elle a l'impression également de le porter plus haut. Il peut d'ailleurs bouger pour faire descendre la ceinture plus bas que la taille.

● **Le visuel :** déjà, il accepte de se sentir enveloppé. On a l'impression qu'avec lui la mère peut cacher sa grossesse plus longtemps. Celle-ci a d'ailleurs l'impression qu'il se tient en boule et plus bas qu'un auditif.

● **L'auditif :** intra-utéro, l'auditif ne semble pas du tout dérangé par les bruits extérieurs sauf un bruit violent ou soudain. Sa réaction est alors plutôt temporaire : il retrouve très vite son impassibilité.

● **Le visuel :** il réagit immédiatement aux bruits extérieurs, au point que certaines mères nous disent qu'elles ne peuvent plus regarder un film d'action et très bruyant. Mais également, dans certaines discothèques à la mode, où on ne trouve pas de musique filtrée, elle se sent obligée de sortir. Si elle se trouve dans un endroit bruyant qu'elle ne peut quitter, elle peut arrêter les mouvements du bébé en faisant une pression directe sur le ventre, qui semble ainsi le rassurer.

● **L'auditif :** on remarque que si la mère se touche le ventre, son bébé bouge, alors que si c'est le père, il arrêtera de bouger, comme il le fait d'ailleurs avec quelqu'un d'étranger.

● **Le visuel :** lorsque le père touche le ventre de la mère, contrairement à l'auditif, le visuel se met à bouger. Il n'y a que la pression de la main de la mère sur le ventre qui arrive à l'arrêter de bouger.

En conclusion : la prise de conscience des phénomènes décrits précédemment, amène les parents à mieux saisir le caractère et le comportement de leurs enfants et même le leur, vivant ainsi la grossesse de façon plus consciente et beaucoup plus heureuse, évitant par le fait même certaines situations malheureuses. De plus, on peut expliquer certains phénomènes qui se produisent chez le nouveau-né et parfois plus tard. Exemple : une mère se plaint que son enfant ne dort pas entre 22 heures et 02 heures et me demande une explication. C'est une auditive ayant porté son premier enfant auditif. Après l'avoir questionnée, je me rends compte que son mari travaillait le soir et rentrait à deux heures du matin. Pendant l'absence de son mari elle ne pouvait pas dormir et s'enfermait à double tour. Elle ne s'endormait qu'à l'arrivée de son mari. Conclusion : cette mère a reconnu avoir les mêmes craintes que lorsqu'elle était jeune mais elles ont disparu depuis la naissance du bébé, craintes qu'elle avait transmises à son enfant et que celui-ci avait encore. Nous lui avons suggéré de sécuriser son bébé en le tenant sur elle afin que ce dernier reconnaisse «un cœur plus lent», ce qui l'a guéri de son insomnie.

IVe PARTIE

A l'origine
d'une découverte

Des recherches scientifiques et de très nombreuses observations ont conduit le Docteur Lafontaine à la mise en évidence de deux modalités de notre société — auditive et visuelle — de perception et d'expression préférentielles.
    Suivons avec lui les principales étapes de sa découverte.

Un concept de communication opérationnel ?

Raymond Lafontaine m.d.

Avant 1950, en neurologie, il y avait peu d'écrits sur les dysfonctions cérébrales minimes — phénomène qu'on retrouve chez les enfants présentant des troubles d'apprentissage scolaire, des troubles d'adaptation et éventuellement de comportement — qui pourraient être considérés comme étant dûs à une lésion du cerveau. On se basait sur des données extrapolées à partir de signes retrouvés chez des personnes qui avaient acquis une ou des lésions cérébrales après avoir atteint le stade de la petite enfance, soit vers l'âge de cinq ans. De ces nombreuses observations nous obtenions des indices qui, mis à jour, nous permettent de mieux comprendre la complémentarité des deux hémisphères cérébraux.

Deux hémisphères cérébraux

La dialectique interhémisphérique

Cerveau gauche
Logique
Convergent
Intellectuel
Déductif
Rationnel
Pensée verticale
Discontinu

Cerveau droit
Intuition
Divergent
Sentimental
Imaginatif
Métaphorique
Pensée horizontale
Continu

Abstrait	Concret
Réaliste	Impulsif
Intentionnel	Libre
Différentiel	Existentiel
Séquentiel	Multiple
Temporel	Intemporel
Analytique	Holistique, global
Explicite	Implicite, tacite
Objectif	Subjectif
Successif	Simultané
Langage élaboré	Langage restreint
Communication verbale	Communication non verbale

● Par ailleurs, J.H. Jackson, en plus d'être passionné par les détails, avait aussi la faculté d'en extraire des lois générales qui ont révolutionné la neurologie à l'époque, principes qui servent d'ailleurs toujours. Il avait énoncé entre autres **trois principes sur le développement du cerveau** et la plasticité du système nerveux central. Ces trois principes connus bien avant que le concept de dysfonction cérébrale minime fasse son apparition, s'énonçaient comme suit :
1. la maturation du système nerveux implique une transition à partir de niveaux simples à des niveaux plus complexes ;
2. la maturation du système nerveux central implique une évolution à partir de niveaux inférieurs qui sont bien organisés et structurés, à des niveaux supérieurs qui sont moins bien structurés mais par contre, plus flexibles ;
3. la maturation du système nerveux central implique aussi une transition entre des fonctions automatiques et des fonctions plus volontaires.

Ces principes de Jackson nous donnaient donc une conception hiérarchique d'organisation du cerveau allant du plus simple, bien structuré, à des niveaux de plus en plus complexes.

● De là, les **caractéristiques principales qui distinguent l'enfant de l'adulte** sont :
1. une modification relative de structure avec l'âge ;
2. une rapide capacité de changement ;
3. une grande sensibilité aux influences.

A remarquer que chez l'adulte, la plasticité se retrouve dans la capacité de restructurer quelque chose de façon différente, en rapport avec la réalité de l'époque où il vit, et se réfère avant tout à des interactions qui se situent au niveau cognitif.

La notion de dysfonction cérébrale minime

La notion de dysfonction cérébrale minime elle-même nous vient de Strauss et Lehtinen, aux Etats-Unis, dans les années '40. Un premier livre fut publié sous le titre de «Psychopathologie et éducation de l'enfant avec une atteinte cérébrale». En 1955, Strauss publie avec Kephart le deuxième volume intitulé «Nouvelles données théoriques et cliniques». Dans la préface, les auteurs soulignent le fait que, depuis leur premier ouvrage publié en 1947, les connaissances sur le fonctionnement du cerveau ont tellement progressé qu'il leur fallait écrire un livre entièrement nouveau sur la théorie et la clinique de l'enfant handicapé cérébral.

Entre-temps, en 1952, en France, André-Thomas, un neurologue à la retraite, publie avec Ste-Anne d'Argassie la première étude descriptive normative en neurologie infantile à partir d'observations systématiques de nouveau-nés et de jeunes nourrissons. Dans la deuxième partie de cet ouvrage, ils décrivent l'examen clinique de bébés nés avec une ou des anomalies congénitales du cerveau et tentent' d'établir des corrélations anatomopathologiques et développementales en accord avec les connaissances à l'époque.

En 1966, le National Institute of Neurological Diseases and Blindness (NINDB) des Etats-Unis, sous la direction de Masland et la Société Nationale pour les Enfants et Adultes Handicapés, lance une étude dans le but de clarifier la problématique soulevée par le concept de dysfonction cérébrale minime.(1) Il rappelle que ces enfants pré-

(1). Dysfonction cérébrale minime : monographies no 1415 publiée en 1966 et no 2015 publiée en 1969 par le Public Health Service Publication, U.S. Government Printing Office, Washington, D.C.

sentent une dysfonction qui ne donne pas lieu à des handicaps moteur ou sensoriel importants ou une atteinte globale de l'intellect, mais qui démontre des atteintes discrètes du fonctionnement intellectuel ou du comportement.

Les éléments descriptifs compilés dans la littérature de l'époque démontraient clairement les difficultés auxquelles on avait à faire face lorsqu'il s'agissait de développer des schèmes de classification des symptômes et la variété des syndromes regroupés dans le chapitre de la dysfonction cérébrale minime. Il y avait toutefois **10 caractéristiques plus fréquemment mentionnées** par les divers auteurs de ces publications. Par ordre de fréquence, elles étaient :

1. l'hyperactivité
2. des difficultés perceptivo-motrices
3. une labilité (instabilité) émotionnelle
4. un déficit de coordination générale
5. des troubles de l'attention
6. l'impulsivité
7. des troubles de la mémoire et de la pensée
8. des troubles spécifiques de l'apprentissage tel qu'en lecture, arithmétique, écriture et épellation
9. des difficultés de la parole et de l'audition
10. des signes neurologiques équivoques et des irrégularités à l'électroencéphalogramme

De plus on reconnaissait le fait que la nature de ces signes dépendait à la fois de l'**hérédité,** de l'impact sur le système nerveux de **tout facteur nuisible à la santé,** soit prénatal ou survenant après la naissance. L'**âge** auquel surviennent un ou plusieurs accidents influençait à un degré plus ou moins important l'interaction de l'enfant avec son environnement physique et social, de même que l'**éducation** et l'**instruction** qu'il avait reçues.

C'était là, l'état de nos connaissances, lorsque, au début des années '60, la décision du gouvernement d'offrir des services d'éducation à tous les enfants, nous a donné l'opportunité de prendre conscience des implications de ce syndrome, avec des psychologues d'écoles différentes, des pédagogues, des administrateurs et des sociologues. En d'autres mots, nous faisions face à une équipe interdisciplinaire plutôt que multidisciplinaire, forme de travail à laquelle nous avions été habitués jusque là. Cette interaction s'est avérée informative et formative, considérant qu'elle souleva plus de questions que de réponses et, pour le neurologue que je suis, le concept de dysfonction cérébrale minime ne s'avérait pas opérationnel. Il était apparent qu'il y avait un énorme problème *sémiologique* ou *sémiotique* entre les différentes écoles de pensée, les différentes disciplines, sur le *comment* remédier aux problèmes de ces enfants et répartir les responsabilités.

Certains d'entre nous évoquèrent l'histoire des six sages des Indes qui, alors qu'ils étaient tous aveugles, avaient entrepris d'étudier chacun une partie de l'éléphant en tant qu'une entité en soi. Les tracés et plans variaient en fonction de la partie de l'éléphant que chacun pouvait palper.

Quant à ceux qui avaient un penchant pour le béhaviorisme, ils évoquaient l'histoire de l'ivrogne qui, ayant perdu ses clefs, les cherchait sous le lampadaire car après tout c'était là qu'il y avait de la lumière.

Sous une forme plus symbolique, c'était regarder des figures géométriques qui paraissaient être des cercles lorsqu'elles étaient vues sous un certain angle, des carrés lorsqu'elles étaient vues sous un autre angle, alors que vues à un autre niveau, cette fois on pouvait y voir une sphère, un cône et un cube.

Enfin, d'autres psychologues nous rappelèrent les commentaires de Carl Rogers qui soutient encore aujourd'hui que *la majorité des enfants s'éduquent malgré leurs parents et en dépit de leurs professeurs.* Comme on le sait, Carl Rogers est à l'origine de la forme de traitement (psychothérapie) centrée sur le client, convaincu qu'il n'y a rien de plus voué à la frustration que d'affirmer que nous pouvons changer, ou diriger une personne, en dehors de son propre champ de perception. Récemment, il a insisté sur le fait que les jeunes enfants apprennent naturellement, qu'ils font constamment des choix, révélant ainsi un sens inné de ce qui est bien pour eux.

En d'autres termes, nous nous devions de repartir à zéro. Aussi pouvait-on se demander s'il n'y avait pas une réalité unitaire sous les apparences multiples de ces enfants? Eventuellement, ne pouvait-on pas retrouver un équilibre synergétique, tel que défini par B. Fuller, face à une telle problématique vitale et éthique? Il est apparu que nous avions besoin de reconceptualiser la problématique en nous basant davantage sur l'hémisphère droit du cerveau, laissant momentanément de côté l'hémisphère gauche, c'est-à-dire le seul mode analytique, séquentiel, d'envisager les choses et les êtres.

Nous devions aussi tenir compte des trois principes de Jackson ci-dessus mentionnés et du fonctionnement apparemment identique, durant les premières heures de vie et même les premiers jours et plus, de nouveaux-nés normaux aussi bien que de bébés nés avec des anomalies congénitales du cerveau, telles que décrites par André-Thomas et Ste-Anne d'Argassie.

De plus, il fallait mieux circonscrire le problème de l'influence des interactions des enfants avec les adultes, soit leurs parents, les autres intervenants et les milieux. Ceci nous a amenés à nous pencher sur la communication.

La communication
une autre approche du problème

La communication est le moyen d'interaction entre deux personnes. Or, on se heurte ici d'emblée à une problématique d'envergure sur le plan sémiologique ou séméiotique, soit la science des signes et des symboles. Sebeok, dans «Le Champ Sémiologique» nous dit que dans le Panthéon de la sémiologie, Hippocrate est considéré comme le Père et le Maître de cette discipline, suivi, beaucoup plus tard, de Saussure en Suisse et de Pierce aux Etats-Unis. Mais, comme Sebeok nous le fait remarquer, le problème que pose la sémiologie clinique ou médicale réside dans le fait que les signes ou les mots ne veulent pas dire la même chose pour le médecin et le patient. Dans un autre domaine, une enquête récente, faite aux Etats-Unis, nous laisse entendre que seulement 18 % de la population comprend le langage scientifique.

● **Chaque spécialité possède son langage propre**
C'est ainsi qu'on se rend compte que chaque métier, chaque discipline et chaque spécialité possède son propre langage sous-culturel, ou des valeurs linguistiques différentes telles que les étudient les sociologues et les linguistes. De nos jours, en sciences de la santé, on parle de la résistance à l'informatique. Funck-Brentano laisse entendre que la raison principale de la résistance à l'informatique, dans ce domaine, se retrouve autant chez les médecins que chez les patients, à cause d'un manque d'éducation et d'information. Dans les faits, le progrès de la technologie nous obligent à nous réorganiser.

● **Quand une langue évolue...**
De plus, les termes employés par chaque discipline se précisent avec le temps et soulèvent la dimension diachronique de tout langage, autrement dit : le phénomène de l'évolution de la langue dans le temps, tel que démontré

par les commentaires de Strauss et Kephart, et par l'histoire de Francis Crick qui s'est senti obligé de s'identifier comme étant un biologiste moléculaire rendu à un certain stade de ses recherches. Et que dire des nouvelles éditions de nos dictionnaires?...

Mais, il y a plus encore. C'est le problème des **idiolectes** c'est-à-dire du «pattern» de langage de chacun à un moment donné de sa vie. Un exemple de ceci se retrouve dans l'étude de Jaynes sur l'émergence de la conscience dans l'histoire de l'humanité et la disparition de la pensée bicamérale.

Aussi, il n'est pas étonnant que Korzybski, le fondateur de «l'Institute for General Semantics» d'où relève l'étude de la signification des mots, nous ait rappelé, dans les années '30, que **le langage n'est pas la réalité** et que pour W. Heisenberg, en physique, tout mot ou concept, si clairs qu'ils nous paraissent, ont un champ d'application limité.

C'est l'énigme du Sphinx que Chomsky appellerait la grammaire des valeurs générées linguistiquement ou des différents niveaux de langage. Chomsky nous dit que l'esprit est libre de générer un nombre infini de phrases structurées selon les règles. D'ailleurs cette idée a été reprise par Bandler et Grinder dans la linguistique de la thérapie. On en reconnait maintenant plusieurs formes où on constate que chaque côté d'un paradoxe se situe en fait à un niveau de langage différent.

● Pour Guilford dans «La Structure de l'Intelligence» **l'information peut prendre au moins quatre formes**. Elles sont :
1. la forme figurée, comme dans les objets visuels, les rythmes auditifs, c'est-à-dire par leurs propriétés sensorielles;
2. une forme sémantique ou une signification conceptuelle, dans sa forme verbale;
3. une forme symbolique représentée par les nombres, les abréviations, les graphiques etc... C'est la base des mathématiques;
4. la forme behaviorale ou comportementale, soit celle de l'intelligence sociale, dérivée des observations du comportement d'une autre personne.

En réalité Guilford nous rappelle que, dans la communication entre individus, on se sert de plus d'une de ces quatre formes et il nous apparaît opportun de rapprocher ceci de ce que les spécialistes en communication soutiennent, à savoir que chez l'adulte, **80 % de la signification et de l'interprétation d'un message nous viennent de ses composantes non-verbales.** Lessoil s'est récemment penchée sur les formats préférentiels et moyens de transmission de l'information en management, selon le concept des auditifs et des visuels, avec Hurtubise, professeur à l'Ecole Nationale d'Administration Publique de l'Université du Québec et auteur d'un volume intitulé «L'Humain dans le Système d'Information de Gestion». Puis, comme nous sommes envahis par toutes sortes d'informations, de nos jours... R. Moch, dans «Informatique et Société Moderne», va jusqu'à dire «qu'il n'y a plus sur le globe un seul homme dont le moindre geste puisse nous laisser indifférents».

● **Un questionnaire multi-dimensionnel**
Face à cette complexité, avec des collègues pédiatres, des médecins hygiénistes, des psychologues, des pédagogues, des psycho-éducateurs, des travailleurs sociaux et des administrateurs, nous avons commencé par établir un questionnaire multidimensionnel qui regroupait les données susceptibles d'être utilisées par plusieurs intervenants. A ce questionnaire s'ajoutait celui de chaque discipline, le but de ces évaluations multidisciplinaires consistant à dépister, le plus tôt possible, les enfants susceptibles de rencontrer des difficultés à l'école et de pouvoir prévoir les services à offrir.

Puis, avec le département d'orthopédagogie de l'Université de Montréal, nous avons revu ce questionnaire et les différentes évaluations. La Société de Mathématique Appliquée a agi comme consultant pour l'établissement d'un questionnaire plus objectif encore, considérant qu'il s'agissait de :
1. Colliger les données utilisées par le plus grand nombre d'intervenants, dans un premier questionnaire que nous avons appelé d'ordre **général,** c'est-à-dire dénué d'interprétation, considérant que plus d'un professionnel, de formation et de responsabilité administrative différentes, allait l'utiliser.

Nous n'avons pas été en mesure de rencontrer cet objectif à partir des expressions utilisées par les parents lorsqu'il s'agissait de problèmes de santé. Aussi, dans un deuxième temps nous avons dû reprendre le questionnaire et faire appel à des infirmières pour effectuer les entrevues avec les parents. Elles devaient écrire les expressions des parents, expressions qui ne pouvaient être codées et susceptibles, de plus, d'être interprétées différemment selon les intervenants de disciplines et d'écoles différentes. C'était là une confirmation de ce que Sebeock nous rappelait plus haut sur la séméiologie médicale où la signification attachée à un mot par le patient ne correspond pas à celle donnée par le médecin. Les expressions, d'ailleurs, variaient, bien entendu, avec la région d'origine du client.

2. Par la suite, chaque discipline complétait ce questionnaire général avec les **questions spécifiques** à sa discipline et enregistrait son évaluation de façon systématique. A remarquer qu'ici les professionnels devaient, la plupart du temps, utiliser le lexique et les expressions propres à leur spécialité. Cela ne concernait en effet que des problèmes ou optiques particulières à cette discipline ou sous-discipline. Nous avions envisagé pouvoir rechercher les corrélations possibles, mais nous n'avons pas pu obtenir le financement nécessaire à cet effet, de sorte que nous avons dû nous limiter à travailler en réseau tel que défini par Marilyn Ferguson dans «Les Enfants du Verseau».

3. Finalement nous avons conçu une **formule de synthèse** en termes correspondants aux instruments de travail utilisés par les pédagogues. Un diagnostic de dysfonction cérébrale minime ou d'épilepsie par exemple, n'aide pas réellement un pédagogue, un travailleur social et encore moins un administrateur. Ces questionnaires et protocoles d'investigation multidimensionnels s'avérèrent d'une telle utilité que nous avons été appelés à les utiliser pour la préparation des discussions de cas avec les étudiants, dans des études interdisciplinaires.

C'est ainsi qu'avec le département de psycho-éducation de l'Université de Sherbrooke, il a été décidé de confronter les différents concepts et approches étiologiques, thérapeutiques et rééducatives face à des enfants en difficultés scolaires sérieuses. Il devait y avoir des «patterns» communs, considérant que nous nous référions tous aux mêmes enfants. Puis, comme le rappelle Laborit, communiquer c'est mettre ensemble. Dans ce projet, les étudiants ont demandé aux professeurs qu'ils supervisent eux-mêmes toutes les étapes. Ainsi, provoqués par les jeunes, les professeurs ont accepté d'agir comme responsables à part entière du projet. Mais face aux différents concepts utilisés par tous les membres de l'équipe, il fut conclu que nous ne pouvions faire autrement que de prendre l'enfant comme source d'information. Il fallait regarder la «boîte noire» de l'extérieur dans cette étude interdisciplinaire orientée vers la rééducation de douze garçons d'intelligence normale, dont l'école ne voulait plus.

Au plan méthodologique, même s'il s'agissait d'une recherche interdisciplinaire appliquée, le système en place nous obligeait à aborder le problème sous l'angle analytique. Après un an, il est apparu évident que nous avions trop de variables à considérer, que certaines des approches utilisées ne se prêtaient pas à une méthodologie objective alors qu'elles s'avéraient valables dans les faits. Entretemps les enfants avaient évolué... Quant à nous, nous étions devenus des «bootstrappers» si l'on s'en réfère à l'expression de Chew : lorsqu'un homme est rendu capable de réaliser que plus d'un modèle est valable sans opter pour l'un plus que pour l'autre, il devient un «bootstrapper». Aussi avons-nous dû reformuler le projet sous une forme plus systémique et de recherche-action coopérative, ce qui, en rétrospective, correspondait davantage au fait que nous avions déjà dû nous entendre pour nous centrer sur l'enfant, doué d'une capacité d'auto-organisation, plutôt que sur une théorie, un concept ou l'autre.

● **La notion de recherche - action**
La notion de recherche-action était très populaire dans la littérature au milieu des années '60, du moins en Amérique du Nord. Au cours des années suivantes, à la faveur des progrès obtenus par les démarches analytiques, systématiques et les connaissances acquises par d'autres études

systématiques, l'appellation d'approche éthologique (c'est-à-dire d'observations répétées du sujet dans son milieu naturel, dans un processus de co-adaptation avec son environnement) nous parait être un terme plus approprié de nos jours. D'ailleurs, une des revues médicales les plus prestigieuses des Etats-Unis doit «se contenter» dans 58 % des cas, d'articles sans méthodes statistiques ou au plus, de statistiques descriptives face à la complexité de l'être humain en interaction avec son environnement. Ceci est un exemple des limites de la démarche analytique que certains de nos animateurs ou animatrices de programmes scientifiques de télévision ont du mal à reconnaître, et de certains hommes de science qui ne voient pas la complexité ou la complémentarité d'une démarche interdisciplinaire lorsqu'il s'agit de mieux comprendre l'humain en interaction avec son environnement.

Ceci est aussi un exemple de la dimension diachronique de l'évolution de nos expressions, suite à la théorie générale des systèmes de Bertalanfy qu'il a définis comme la discipline des disciplines, avec une emphase spéciale sur la psychobiologie et l'écologie où il s'agit de regarder le monde en termes d'interrelations et d'interdépendances des phénomènes d'une part, et la notion de cybernétique de Wiener d'autre part, qui nous a permis de mieux reconnaître le fait que l'enfant est doté d'une capacité d'auto-organisation. Ceci rejoint d'ailleurs le concept d'homéostase du physiologiste Cannon (1932) et de milieu interne de Claude Bernard en 1859. Tout compte fait, la conclusion à laquelle l'équipe interdisciplinaire s'était vue forcée d'arriver, soit celle de prendre l'enfant comme sujet d'observation, nous paraissait encore plus plausible et nous pouvions déjà entrevoir la complémentarité des approches analytiques et systémiques sans pouvoir le prouver pour rassurer les autorités.

L'approche analytique et l'approche systémique

Depuis lors, les différences qui existent entre les approches analytiques et systémiques ont été systématisées, comme le démontre, pour le monde francophone, le tableau suivant inspiré de de Rosnay dans son volume «Le Macroscope» publié en 1975 et accessible à tous pour plus de précisions.

Approche analytique	Approche systémique
1. Elle considère la *nature* des interactions	Elle considère les *effets* des interactions
2. Elle isole et concentre sur les éléments	Elle unit en se concentrant sur les interactions des éléments
3. Elle tend vers la précision des détails	Elle tend vers une perception plus globale
4. Relativement indépendante du temps	Intègre le temps et l'irréversibilité
5. Les faits sont validés par la preuve expérimentale d'une théorie	Les faits sont validés par comparaison du modèle de travail avec la réalité
6. Elle tend vers une approche multi-disciplinaire	Elle tend vers une approche inter-disciplinaire
7. Elle donne lieu à des modèles précis et détaillés difficiles à utiliser en pratique	Elle donne lieu à des modèles non suffisamment détaillés mais utilisables dans les décisions et l'action
8. L'action est programmée en détail et les buts ne sont pas bien définis	L'action est programmée par objectifs et les détails sont flous

Quant aux modèles conceptuels utilisés dans ce projet, je précise ici que nous nous sommes limités à ceux avec lesquels les différents membres de l'équipe de recherche appliquée avaient le plus d'expérience. Il s'agissait de la neurologie développementale en ce qui nous concerne, la neuropsychologie, du concept psychanalytique de Freud tel que traduit dans ses équivalents comportementaux en société et selon l'âge, par E. Erickson, où il est entendu que si on veut résoudre le conflit des générations, il vaut mieux insister pour que tous les membres de la famille participent à la «danse», que de chercher à en exclure certains.

Un autre cadre de référence était celui de l'approche cognitive de Piaget. En 1970, nous avons pris connaissance du cerveau trinique de MacLean qui s'est avéré un concept clé pour un neurologue, considérant que la décision fondamentale que tout organisme mobile doit prendre face à un point de référence, est soit de l'approcher soit de l'éviter. Je reviendrai sur cette notion capitale plus loin.

● Ce projet nous a conduit à **évaluer les attitudes verbales et non-verbales des enfants** dans des situations de vie différentes, et de la ou des personnes avec lesquelles ils étaient en interaction. En effet, il est apparu assez tôt dans ce projet que le comportement d'un enfant pouvait varier beaucoup selon qu'il se trouvait en classe, en récréation avec ses amis ou chez lui.

Ainsi, **les contextes de vie quotidienne** ont été subdivisés comme suit, notion dont il faut tenir compte lorsqu'il s'agit d'évaluer le comportement de quelqu'un sous peine de généraliser :

1. à l'éveil le matin, ou après une sieste
2. au moment des repas
3. en route pour l'école (dont l'autobus)
4. en classe
5. en période libre
6. au cours d'activités organisées
7. avec les voisins
8. en fin de semaine ou en vacances
9. à l'heure du coucher
10. durant la nuit ou le sommeil.

Ainsi, il est devenu évident que la plupart des enfants dits hyperactifs l'étaient rarement à toute heure ou en tout lieu, de sorte que l'expression telle qu'elle est utilisée en Amérique du Nord, est trop généralisée, comme le confirme d'ailleurs une étude récente, en Angleterre, qui tente d'expliquer la différence existant entre le nombre d'enfants hyperactifs en Amérique du Nord et en Europe. Je ne sais trop si l'auteur a pensé à la boutade de Bertrand Russel qui nous dit, en parlant des observations faites sur les animaux, que ces animaux se comportent de manière à confirmer la philosophie à laquelle adhérait l'observateur avant de commencer ses observations. Plus encore, les animaux déployaient toutes les caractéristiques nationales de l'observateur. Les animaux étudiés par les Américains se hâtent frénétiquement avec une incroyable démonstration d'empressement et de fougue pour arriver à leurs fins, par chance! alors que ceux observés par les Allemands s'asseyent et pensent pour finalement trouver la solution...

C'est Hall, dans «La nouvelle communication — recherches sur l'interaction» qui nous rappelle qu'un questionnaire n'est qu'une caisse de résonance ethnocentrique! Dans le même sens, mais à un autre niveau de langage, Laënnec, médecin français, nous dit : «Ecoutez, écoutez votre patient, il vous donne le diagnostic» alors que Sir W. Jenner, médecin anglais dira : «Messieurs, plus d'erreurs sont commises parce qu'on ne regarde pas, que par ignorance». Ou encore, à un autre niveau, la remarque de cette jeune femme d'instruction limitée, confrontée un jour à un homme «cultivé» qui, dans sa communication avec elle, lui semblait tirer vanité de son savoir et prendre plaisir à la diminuer. Cette jeune femme n'en pouvant plus de supporter cette situation lui dit finalement : «L'instruction Monsieur, c'est comme l'alcool. Il y en a qui ne le supportent pas, ça leur monte à la tête!»

Quant aux personnes avec lesquelles les jeunes se trouvaient à communiquer, il s'est avéré essentiel de tenir compte, de plus, de la fonction de chacune, telle qu'elle est reconnue dans la société ou au niveau de l'équipe de recherche. Ainsi, nous avons pu nous apercevoir que ce qu'on appelle par exemple le mythe du médecin, n'a pas disparu et ainsi de suite. Je tiens à répéter que c'est là une notion qu'il ne faut jamais oublier lorsqu'il s'agit d'interpréter les réactions des enfants face à un interlocuteur qui occupe une fonction donnée. Les jeunes ne perçoivent pas toujours les différences.

De plus, nous savons maintenant qu'ils établissent aussi une nette différence entre la figure maternelle, leur mère et la femme, de même qu'entre la figure paternelle, leur père et l'homme.

Quelques observations

Chez la majorité de ces garçons que l'école ne pouvait tolérer, nous avons retrouvé, encore une fois, des *signes neurologiques doux* («soft signs»), soit des troubles mineurs de la motricité, certaines des caractéristiques émotives mentionnées plus haut et d'autres encore mais, le processus de rééducation leur a permis d'en arriver à un stade d'autonomie, c'est-à-dire à cette capacité de s'organiser eux-mêmes dans notre société et souvent sous une modalité que nous ne pouvions pas prévoir. Voilà pour les plus grands enfants.

En ce qui concerne les **tout-petits**, on est devenu plus attentif au fait que les nourrissons ne réagissaient pas tous de la même façon face à un examinateur, et ce indépendamment de leur état dynamique de base au moment de notre intervention. C'est une remarque que les parents nous avaient maintes fois faite. Mais nous n'avions pas été entraînés à nous attarder à cette observation. Considérant que ces petits étaient trop jeunes pour se déplacer, ou encore parler, pour les évaluer à partir des paramètres utilisés chez des enfants plus âgés nous avions alors décidé d'étudier l'aspect qualitatif de l'examen quantitatif des sens qui est fait de routine en neurologie.

Ici, nous n'avions pas de données, ou encore il n'y en avait que très peu à l'époque. Nous avons donc eu recours à l'approche éthologique qui suppose, au départ, que l'enfant veut s'adapter ou encore qu'il veut vivre, et de rechercher le sens de ses réactions, surtout si elles ne concordaient pas avec nos propres schèmes de référence. C'est donc une **analyse descriptive** qu'il nous a fallu faire dans un premier temps. Il est vrai que la technologie, qui nous permet d'étudier les potentiels évoqués, est maintenant en place et que ceci n'a pas été étranger à cette étude.

Puis, en 1970, nous avons pris connaissance de **la notion du cerveau trinique** de MacLean, expression qui est aussi utilisée par Delgado, directeur de l'Institut Cajal de Madrid, mais dans un sens un peu différent. Cette notion nous permettait de nous poser la question de savoir si la réaction d'un nourrisson à un complexe de stimuli, présenté par l'examinateur, évoquait une réponse au niveau du cerveau primaire, ou du système limbique, ou relevait en fait des fonctions du cortex cérébral, le troisième niveau. Nous avons alors remarqué que, lorsque les enfants sont confrontés à des stimuli en rapport avec des événements comme l'intervention d'un examinateur, certains manifestaient une réaction de peur à un point tel qu'ils se figeaient et ne bougeaient plus. Ils allaient même jusqu'à fermer les yeux et ne plus entendre. Ceci s'est avéré être encore plus évident chez des enfants handicapés sur le plan neurologique et les déficients mentaux, surtout si le degré de déficience parait présenter des traits autistiques. Certains enfants fragiles sur le plan de la personnalité, ou qui présentaient des difficultés d'adaptation, réagissaient aussi de la sorte sans qu'on puisse mettre en évidence de lésions cérébrales. Aussi, certains d'entre nous se contentent-ils aujourd'hui de cataloguer ces enfants comme présentant des troubles de communication, tout simplement.

A un autre niveau, les enfants réagissaient de façon agressive. Puis ils se fâchaient ou s'agitaient et enfin il y avait ceux qui répondaient de façon adéquate face à l'examinateur.

Cela nous permettait peut-être de comprendre le sens de la remarque d'une mère qui, quelque 20 ans plus tôt, après avoir expliqué à son mari que leur bébé de 9 mois était «normal», m'avait dit en passant qu'elle trouvait son mari «trop dur» avec leur bébé. N'ayant pû me retenir de lui demander ce qu'elle voulait dire au juste, elle me répondit que lorsque son mari parlait au bébé, ce dernier se figeait et qu'il allait même jusqu'à fermer les yeux. Il ne s'agissait pas d'une réaction de sursaut qui aurait pu évoquer quelque chose d'anormal pour un neurologue. Le père mesurait bien 1,80 m. et il devait certainement peser dans les 90 kilos mais il m'apparaissait comme quelqu'un qui ne ferait pas «mal à une mouche», sauf qu'il avait une voix bien grave... Aujourd'hui, nous savons qu'effectivement cela peut affecter le bébé mais, comme nous l'avons vu, il y a moyen de remédier à cela.

De fil en aiguille, nous avons observé de plus près ces bébés qui paraissaient faciles à examiner, et questionné davantage les parents sinon porté plus d'attention à leurs commentaires. Or, il semble qu'en accord avec leur degré de sensibilité, **les enfants réagiront quelque part sur une échelle ou un continuum qui ira de la peur au point de se figer et paraître impassible, à la fuite, l'agressivité,** en passant par la réaction adéquate. Formulé autrement, la personne craintive adoptera une stratégie *défensive*, qui sera soit l'immobilisation totale, soit la fuite ou le retrait, soit une réaction *impulsive*, ou un contrôle obsessif de soi-même et, à l'autre extrême il y a les personnes qui sont sûres d'elles-mêmes et qui, lorsqu'elles sont motivées, peuvent travailler avec efficience et efficacité.

La notion de cerveau trinique

Actuellement, la notion du cerveau trinique de MacLean peut se résumer de la façon suivante. Le cerveau de l'homme est composé de 3 ordinateurs biologiques associés et en interactions constantes, chacun avec son sens du temps, de l'espace, sa mémoire, son intelligence et ses fonctions motrices. Il faut envisager ces 3 niveaux à la façon de Koestler, comme étant dans un rapport holarchique c'est-à-dire perméables l'un à l'autre, pouvant s'imbriquer les uns avec les autres en des rapports complexes mais flexibles et dynamiques. Dans ce sens, on dira en éthologie moderne, que chaque partie ne peut être comprise sans étudier la contribution des autres parties, de sorte qu'on en arrive à une co-adaptation. A un autre niveau de langage, soit au niveau cognitif de formulation, chaque système est dans un état d'équilibre dialectique et opère sur la base du principe de cybernétique et de la théorie générale des systèmes au sein et avec les autres niveaux. Il nous semble que cela rejoint, à un autre niveau de langage, l'idée d'interdépendance des trois secteurs fondamentaux de la connaissance avec lesquels de Rosnay veut nous familiariser soit : l'énergie, le temps et l'information.

● En termes plus concrets, le premier niveau du cerveau que MacLean appelle **le cerveau reptilien** assure la survivance. Les informations venues de l'environnement doivent passer par ce premier centre de triage. Le complexe reptilien jouerait un rôle fondamental dans l'imitation, la recherche d'un habitat et d'un territoire, l'accouplement, l'établissement de hiérarchies sociales, des rituels et certains comportements agressifs et répétitifs. Par la substance réticulée qu'on retrouve à ce niveau, il active l'ensemble du cerveau et serait responsable de l'attention sélective qu'on porte à une situation ou à un problème. Il joue donc un rôle essentiel dans la motivation et l'émotivité.

● Quant au deuxième niveau, il le nomme **le système limbique** qu'on retrouve chez les mammifères. Il serait surtout responsable de la mémoire, de l'apprentissage, de l'humeur et de l'affectivité. C'est au niveau de ce deuxième ordinateur biologique que les informations prennent une valeur mnémonique et affective. Chez le visuel, ce serait plutôt le circuit ventral du système sensorilimbique de Bear qui a la prépondérance, alors que chez l'auditif, ce serait le circuit dorsal.

● Quant au troisième niveau ou ordinateur biologique, il est représenté par **le cortex cérébral**, soit *l'hémisphère gauche et l'hémisphère droit*. Brièvement, envisagé dans une perspective systémique, on dira que le cerveau gauche est le cerveau de la pensée logique et abstraite alors que le droit gouverne la pensée concrète, globale et figurée soit la perception spatiale et l'intuition.

A ceci, Watzlawick suggère trois formes d'interaction entre les deux hémisphères cérébraux. L'hémisphère dominant parait être celui que sa spécialisation rend le plus apte à régler un problème donné. Par ailleurs lorsqu'un hémisphère résout un problème plus rapidement que l'autre, il peut déterminer la réponse alors que si la motivation d'un hémisphère parait plus importante que l'autre, ce serait ce dernier qui s'avérerait prépondérant. L'hémisphère gauche est *convergent* alors que le droit parait *divergent*. Le cerveau gauche, c'est la *pensée verticale* de De Bono, alors que le cerveau droit représente la *pensée latérale*. Pour d'autres, le cerveau gauche, c'est le cerveau de la *pensée linéaire* alors que le droit reflète plutôt la *pensée circulaire.*

Avec cette notion des trois ordinateurs biologiques, on peut mieux comprendre le continuum des réactions des enfants en situation de nouveauté, en fonction de leur degré de «sensibilité», face aux caractéristiques de l'information qui leur vient de l'environnement, tout en se rappelant que l'avenir d'un enfant relève d'un processus de co-adaptation avec son environnement.

C'est ainsi que nous en sommes arrivés à observer qu'il y a **deux principales modalités sensorielles, perceptuelles et de réactions** qui émergent chez l'enfant, et qu'on pouvait déjà distinguer dès l'âge de 3 à 4 semaines au début de nos observations. Dans le but de structurer ou d'organiser ces observations et de découvrir d'autres perspectives, nous avons dû les nommer tout en ne perdant pas de vue le fait que ce que le cerveau comprend ne remplace pas les sensations qu'il reçoit, ou encore, que ce que nous pensons est tempéré et discipliné par notre éducation et non par la nature. Nous les avons appelés les modalités sensorielles de discrimination et d'interprétation de l'information fournie par l'environnement, considérant que c'est sous cette forme que l'identification est plus facile et plus fondamentale.

Je tiens à souligner que ces deux termes d'auditif et visuel doivent donc être entendus comme une métaphore qui nous permet d'organiser l'information, percevoir les rapports qui existent entre l'une et l'autre de ces modalités pour en arriver à établir des «pattern» ou modèles dynamiques d'interaction, plutôt que des formules de modèles statiques ou nécessairement prévisibles. Il s'agit avant tout d'un concept. L'enfant est un être en croissance et il se trouve en interaction constante avec un environnement qui change constamment.

Aussi avons-nous pu observer par la suite que les enfants, en grandissant, gardent ce «pattern» d'expression et d'agir. Aussi, les équivalents comportementaux évoluent-ils avec l'expérience. En l'occurence, nous nous sommes servis des travaux d'E. Erickson dans «Enfance et Société» auxquels nous faisions référence plus haut et dont on peut résumer les cycles de la vie de la façon suivante :

1. la confiance (petite enfance) (0-1 an).
2. l'autonomie (la première enfance) (1-3 ans)
3. l'initiative (seconde enfance) (3-6 ans)
4. l'ingéniosité et la compétence (âge scolaire) (6-12 ans)
5. l'identité personnelle (l'adolescence 12-16 ans).
6. la capacité d'intimité (jeune adulte 16-21 ans)
7. la générativité (adulte 21-30 ans)
8. l'intégrité et l'acceptation de soi (maturité adulte et sociale).

On m'a informé récemment qu'Erickson vient de publier un autre volume où il a poursuivi ses observations chez l'adulte et les gens plus âgés.

A ce stade-ci de nos observations, on pouvait maintenant entrevoir des styles cognitifs tels que définis par Cronbach et Snow lorsqu'ils se réfèrent au pattern habituel ou à la stratégie préférée d'un individu dans le cheminement de l'information et sa façon d'y répondre. On pouvait en effet entrevoir deux styles principaux à ce niveau chez l'enfant et même chez les parents. Il demeure que vous, lecteurs, devriez avoir de la difficulté à vous situer en tant qu'adulte d'autant plus que vous aurez eu à échanger avec beaucoup de gens de responsabilités ou fonctions différentes depuis votre plus jeune âge. L'expérience vous aura démontré qu'on adopte un style plutôt qu'un autre en fonction de l'interlocuteur auquel on fait face et de la tâche qu'on a à accomplir. Par ailleurs, dans une situation toute nouvelle où il n'y a pas de solution toute faite, vous devriez alors vous retrouver plus facilement dans un style plutôt que dans l'autre. C'est ainsi que nous risquons de vous présenter le tableau suivant qui, je le souhaite, ne devrait pas s'avérer aussi complexe qu'il le semble au premier abord, d'autant plus que l'expression que les contraires s'attirent demeure toujours vraie. Par contre, il arrive à l'occasion qu'un trait attribué au visuel se retrouve chez l'auditif. A ce moment-là l'auditif aura le trait correspondant du visuel. Quant aux numéros que nous avons placés en début de ligne, ils se refèrent à des équivalents d'un niveau à l'autre et non pas à un ordre de progression quelconque.

Visuel ou auditif?

Premier niveau

1. exige l'apparence	exige l'ambiance
2. rassuré par le fait de voir	rassuré par le fait d'entendre
«il regarde»	«il écoute»
3. l'apparence est essentielle	l'impression est essentielle
5. protège les siens	fait confiance
6. blâme l'autre	se blâme
7. il doit toucher	il imagine
8. volubile	mutisme
9. agressif	impassible
10. indispensable	disponible
11. angoissé	dépressif
12. craintes pour l'immédiat	craintes pour l'avenir
13. imitation	observation
14. image concrète	image globale
15. déterminé	résigné
16. encadrement	supervision
17. incrédule	naïf
18. présence immédiate de l'être aimé	présence relative de l'être aimé
19. l'excès de bruit le désorganise	la dispute le désorganise
- sous stress affectif : ne dort pas ou mal	sous stress logique : ne dort pas ou mal

Deuxième niveau

1. valorisation	réassurance
2. vision intentionnelle	vision d'ensemble
3. sensible à l'apparence	se fie peu à l'apparence
4. concret	abstrait
5. «mère poule, papa gâteau» (se sent concerné)	moniteur (l'autre se sent mal)
6. se sent visé si faute sentimentale	se sent visé si faute logique

7. étreinte	caresse
8. loquace	retenue
9. extériorise	intériorise
10. utile	serviable
11. anxieux	inquiet
12. appréhende l'immédiat «l'aujourd'hui»	appréhende l'avenir «le demain»
13. apprentissage imitatif	apprentissage contextuel
14. mémoire détaillée	mémoire globale
15. le comment	le pourquoi
16. valorisé	sécurisé
17. «St-Thomas»	sceptique
18. l'admiration	l'affection
19. n'aime pas se faire parler fort	n'aime pas la mésentente
personnel	impersonnel
instantané	s'insère dans le temps
aime être beau et reconnu ainsi	aime être bon et reconnu ainsi

Troisième niveau

1. approche analytique	approche systémique
2. vision analytique	vision systémique
3. beauté extérieure puis intérieure	beauté intérieure puis extérieure
4. le réel-l'opérationalisation	l'idéal-la conception
5. réussite personnelle	réussite collective
6. critique de l'approche systémique	critique de l'approche analytique
7. la preuve	l'évidence
8. éloquence passionnée	éloquence structurée
9. exprime	analyse
10. complaisant	arrangeant
11. curieux	intrigué
12. recherche solution immédiate	recherche solution à long terme
13. personnalisation	collectivisation
14. image détaillée	image abstraite
15. description	explication

16. structure explicite (différentiel)	structure implicite (existentiel)
17. preuve objective 3 exemples...	preuve subjective (par le vécu)
18. l'amour sentimental	l'amour rationnel
19. tente de lui faire plaisir	tente de le réassurer
- souci du détail	vue d'ensemble
- action/réflexion	réflexion/action
- le cas	l'événement
- le mot - la lettre	l'esprit - le sens
- l'éthique bureaucratique du travail	l'éthique protestante du travail

Plusieurs de ces équivalents comportementaux ont été décrits dans ce volume tel que vécus ou plus précisément dans leur forme comportementale de communication : le propre d'une intelligence sociale issue d'observations d'une autre personne que le sujet lui-même. Ceci s'applique avant tout à des enfants, et même des parents et intervenants qui sont moins versatiles ou à des individus qui ont réservé leur originalité ou leur créativité à un niveau différent. Dans les faits, il semble bien s'agir de cette réalité plutôt que d'un manque d'adaptation de la part de ces derniers... Ah ces artistes diraient certains? Eh bien oui...

Essentiellement, l'auditif veut plaire et le visuel doit plaire. Ce n'est pas que l'auditif ne voit pas mais plutôt que sa vision des choses n'est pas la même. L'auditif semble avoir une vision périphérique; c'est le contexte qui l'intéresse avant tout. Le visuel a une vision centrale intentionnelle. Il entend tout. Il ne filtre pas par l'oreille. A un autre niveau on devrait dire que le visuel aime plaire alors que l'auditif aime rendre service et qu'arrive-t-il s'ils n'en ont pas l'occasion?

Implications du modèle des auditifs et des visuels dans la communication

Composer avec la différence et la complexité

En tant qu'adultes, nous sommes les personnes les plus influentes dans la vie d'un enfant. Il demeure que la communication entre adultes est un défi. En effet, l'échange d'informations entre des personnes qui viennent de toutes les classes de la société, de différents groupes culturels et ethniques et de gens de tous les métiers et d'expériences variées est un problème qui nous rappelle la complexité déjà mentionnée lorsque nous avons parlé de séméiologie, des différents niveaux de signification du langage, des caractéristiques idiolectiques et idiographiques de chaque individu et de l'influence des normes de la société.

Pour cette raison je tenterai d'utiliser encore des exemples à des niveaux multiples de communication, considérant que c'est là une notion essentielle pour pouvoir communiquer avec quelqu'un d'autre, c'est-à-dire lorsqu'il s'agit de mettre ensemble comme dirait Laborit. En d'autres mots, il faut se placer dans le cadre de référence de son interlocuteur si l'on veut bien se comprendre. Bandler et Grinder diraient même qu'on se doit d'employer des mots adaptés à l'univers de la personne à laquelle on adresse la parole. C'est ce que tente d'élucider à sa manière Hofstadter, chercheur en intelligence artificielle, dans son livre «Godel, Escher, Bach». C'est un jeu amusant mais pas facile et qui prend du temps.

Communiquer avec les enfants, dans la société

Nous pouvons observer qu'il est généralement facile d'amener les parents à prendre conscience qu'eux-mêmes réagissent différemment à certains des aspects qualitatifs des manières, du ton de la voix des autres, des termes employés et même du décor de la pièce où ils se trouvent. D'ailleurs, nous observons que l'enfant réagit systématiquement dès que nous communiquons d'une façon qui met un des parents mal à l'aise. Comme il a été dit plus haut, le visuel nous dérange et l'auditif se retire.

Les enfants « à problème »

Ceci nous amène à la première cause susceptible de faire réagir les parents, soit celle d'avoir à étiqueter leur enfant d'une affection qu'on appelle une dysfonction cérébrale minime, de donner une explication pathologique de ce diagnostic et d'avoir à en prédire l'avenir. Or, notre manque de connaissances sur le sujet est encore grand, d'autant plus qu'il est difficile d'articuler ceci avec les autres interprétations. Un ami me rappelait il n'y a pas si longtemps, qu'il y aurait plus de vingt façons d'expliquer et de traiter ces enfants. C'est dire que nous faisons face à un problème d'une telle complexité que, par définition, nous pouvons difficilement éviter de projeter une perception partielle et personnelle dans de telles circonstances. Ce qu'Osler disait de la médecine, à savoir qu'elle est une science de problèmes non réglés et qu'elle est un acte de probabilité, demeure vrai. Aussi ne faut-il pas être surpris de rencontrer une résistance à ce niveau, d'autant plus que les médias de tout acabit traitent de ces sujets et se sentent obligés de confronter les tenants d'écoles de pensées différentes. C'est d'ailleurs ainsi qu'on peut expliquer une partie du va-et-vient que les parents font d'une clinique ou d'un centre à l'autre. Une façon trop simple de nier ce problème consiste à affubler ces gens de trouble de personnalité ou d'éducation insuffisante pour ne pas dire que cela demande à tous et chacun de s'organiser différemment face au progrès! Suivant les suggestions d'Hurtubise dans «L'humain dans les Systèmes d'Information de Gestion», nous sommes présentement en train d'étudier le système personnel d'enquête dont chacun d'entre nous se servirait. Cette notion lui vient de Churchman dans «The Design of Inquiring Systems : Les concepts de base des symptômes dans une organisation». Churchman parle de cinq systèmes d'enquête chez les gens qui ont à prendre des décisions et chez les analystes et designers de systèmes. En attendant les résultats de cette prochaine étude, nous suggérons de prendre une attitude de fatalisme optimiste, pour citer Ziegler lorsqu'il parle par exemple des enfants épileptiques en interaction avec leur famille, en mettant en commun nos efforts mutuels avec ceux des parents en tant que partenaires cliniques, où l'enfant demeure notre point de référence en tant que créateur de stabilité, cohérence et force.

De la part des parents maintenant, il n'est pas rare de constater qu'ils se blâmeront pour avoir un enfant à problème. D'autres nous demanderont d'emblée ce que nous avons à offrir comme professionnels, comment s'y prendre avec les ressources à notre disposition dans notre société et finalement comment aider leur enfant à composer avec les perceptions différentes des autres et les contingences des institutions et milieux. Il faut ici rappeler que les parents peuvent être tellement polis qu'ils vont jusqu'à retenir une question s'ils croient qu'elle est susceptible d'embarrasser l'interlocuteur. C'est d'ailleurs un phénomène que j'ai pu, par la suite, retrouver chez nous tous face à certains interlocuteurs de quelque niveau que ce soit, et ce pour plus d'une raison. On ne peut qu'évoquer par exemple les trois niveaux du cerveau pour réaliser qu'on peut être poli avec quelqu'un pour au moins trois raisons. On en a peur; on le trouve sympathique et on ne veut pas lui déplaire et enfin on est d'accord avec sa façon de voir les choses ou d'aborder et résoudre le problème. D'ailleurs, rappelons que l'enfant visuel a tendance à nous dire ce que nous voulons entendre alors que l'enfant auditif dira ce qu'il pense ou ne dira rien du tout. En somme, les deux veulent plaire à leur façon.

Où se situe la normalité

Il peut être utile de rappeler qu'autrefois ces enfants «à problème» étaient gardés à la maison ou qu'ils abandonnaient l'école après quelques années pour aller apprendre «dans le champ». Certains d'entre eux vous sont connus d'ailleurs comme ayant très bien réussi dans la vie mais par une toute autre voie que celle de l'école.

Ceci me rappelle aussi l'histoire d'un couple de médecins qui m'avaient amené leur garçon dyslexique, à l'époque où une cause dite génétique prenait de la vogue. Or, un des deux médecins ne savait pas lire. Il me rappelait qu'à l'époque, chez nous du moins, il n'y avait pas réellement d'examens écrits et qu'il avait toujours étudié avec un confrère qui apprenait mieux en lisant à voix haute. En 1972, au Congrès International de Neurologie Infantile à Toronto, Kinsbourne réussissait avec humour à provoquer l'assemblée en demandant si une des différences entre les enfants que nous étiquetions comme étant atteints d'une dysfonction cérébrale minime, n'était pas due au fait qu'ils se refusaient à cacher leurs différences psychophysiologiques.

A ce sujet je suis tenté de rappeler à votre souvenir les observations de Milgram sur l'obéissance, selon lequel seulement le tiers des sujets n'avaient pas hésité à avouer leur dédain pour ce genre d'expérience scientifique à laquelle il leur avait demandé de participer. Il s'agissait de démontrer que plus les chocs électriques administrés étaient forts, plus le sujet d'expérience allait apprendre. Encore une fois, on parle du tiers des gens. Or ceci nous paraît être un trop grand nombre d'individus pour les étiqueter comme étant anormaux.

Il y a donc lieu de se demander s'il ne s'agit pas d'un autre phénomène. En sociologie, d'ailleurs, on dit que, généralement, environ un tiers des gens préfère le statu quo, qu'un deuxième tiers préfère le changement alors que le troisième tiers serait indécis face à une solution ou à une autre. Rack, en 1981, dans un article qu'il écrivait sur la dyslexie développementale et la créativité littéraire, nous rappelait que d'autres auteurs parlaient d'une motivation persistante et d'une appréhension supérieure à la normale des concepts spatiaux et de forts processus analytiques chez 54 dyslexiques. Tel que mentionné dans ce volume, il est en effet étonnant, pour un auditif du moins, de constater ce qu'un enfant visuel peut voir et faire mais qui n'arrive pas à exprimer avec des mots ce qu'il a vu et fait. C'est un peu comme l'hémisphère droit chez les patients commissurotomisés où l'hémisphère gauche ne peut pas décrire ce que l'hémisphère droit voit et fait. Masland en 1976, se demandait si chez certains de ces enfants il n'y avait pas une orientation différente des habiletés plutôt qu'un déficit d'une fonction ou de l'autre. Rappelons que les visuels que nous voyons sont plus maladroits dans le tout jeune âge et qu'on ne retrouve plus cette maladresse plus tard, à moins de les placer dans une condition indue de stress, toute condition étant égale par ailleurs.

En d'autres termes, nous retrouvions des ressemblances étonnantes dans l'histoire des parents avec ce que leurs enfants vivaient. Aussi, nous sommes-nous intéressés à chercher comment ces parents étaient parvenus à contourner le problème pour devenir productifs et très bien intégrés dans la société, considérant que c'est le cas de la majorité d'entre eux. Pointcarré ne possédait pas toutes les facettes des mathématiques pourtant... En psychophysiologie, on parle d'un problème de développement au niveau des interconnexions synaptiques face aux expériences sensorielles fournies par l'environnement. En neurologie comportementale («behaviorale») on tentera, à partir du vécu des gens, d'établir les corrélations avec ce qui est connu en neurophysiologie.

L'importance du contexte

C'est ainsi qu'avec les parents nous avons été amenés à rechercher ce qui était différent dans la société contemporaine de celle où nous avions vécu avant les années '60, alors que le style de management et les attitudes de notre société ont changé. Je ne pouvais m'empêcher, en même temps, de me rappeler la remarque de mon père alors que la pratique de la médecine dans un centre hospitalier universitaire prenait tout mon temps : «je n'aimerais pas vivre ton temps», mais aussitôt, il ajoutait que son père lui avait dit la même chose, dans son temps.

Influencés par le courant sociologique qui a traversé la province de Québec à l'époque, nous avons dû définir les caractéristiques des différents milieux et des institutions qu'on retrouve dans la société. D'un commun accord avec la majorité des parents rencontrés, nous nous étions entendus sur le fait de les aborder comme supplétives et complémentaires, dans le sens d'une synergie progressive des différentes composantes. Au niveau intergouvernemental, que cela corresponde ou non à la réalité, n'est pas la question dans le contexte de la problématique des enfants.

Pour les fins de ce travail nous pouvons nous limiter à quatre niveaux, soit celui de la famille, le voisinage, l'école et le milieu de travail, et les gouvernements où chacun a des priorités différentes et dont le fonctionnement, encore une fois, doit être envisagé dans un rapport holarchique plutôt qu'un simple rapport hiérarchique. Nous les avons donc définis comme suit :

- **la famille** : le milieu où l'enfant doit se sentir dans une ambiance de confiance à tous les niveaux dans le but d'arriver à un degré minimum d'autonomie ;
- **le voisinage** : une ambiance d'échange où l'enfant peut acquérir un plus grand degré de versatilité ;
- **l'école et plus tard le milieu de travail** : il s'agit ici d'un milieu d'apprentissage, de production et de contrôle organisé dans un contexte neutre et impersonnel de par sa nature ;
- **les autres institutions de la société** : c'est-à-dire ces envi-

ronnements et multiples organismes où chacun est responsable de l'organisation et de la bonne marche d'une ou plusieurs dimensions d'une problématique bien complexe, où les préoccupations de chacun doivent tendre vers une solution compréhensive pour une société donnée à une époque donnée de son évolution. La complexité qui leur est posée par la diversité des individus laisse entendre que ces organismes ne peuvent que se pencher sur un minimum afin de rejoindre un consensus optimal, et ceci est trop souvent interprété comme une limite à la participation de tous et chacun. C'est d'ailleurs la nuance que certains ont comprise et qui fait la différence entre l'esprit et la lettre de la loi ; exemple : une loi et ses 200 pages de règlements qui inhibe l'initiative et la prise en charge de la majorité silencieuse par elle-même.

Une fois que nous nous sommes trouvés d'accord sur le sens à donner à ces milieux, les parents ont commencé à comprendre et voir que les modes d'adaptation variaient nécessairement d'une personne à l'autre et d'un milieu à l'autre, tous et chacun avec ses propres limites. Cette compréhension a fait que la plupart des parents ont cessé d'avoir peur et qu'ils ont voulu apporter leur contribution. Cette compréhension a d'ailleurs servi à plus d'un des enfants qui se situaient mieux quant à la contribution d'un organisme ou d'un autre, et leur a permis de comprendre les contingences d'une fonction occupée par un supérieur.

L'attitude traditionnelle et l'approche émergente

A ce stade, nous nous sommes butés toutefois au problème des différences d'attitudes entre parents.

Il est courant de constater qu'un membre du couple, indépendamment du fait qu'il soit de profil auditif ou visuel, favorise une attitude traditionnelle alors que l'autre reflétera une approche dite émergente, émergente étant entendu dans le sens de la formule de l'avenir face à l'évolution ou au changement.

Il y a au moins quatre dimensions à cette problématique.

Il y a la façon de percevoir l'autorité, la raison, le milieu de travail et les rapports humains et de projets de société. Les définitions utilisées ici sont inspirées de de Rosnay dans «Le Macroscope». Dans une optique traditionnelle, on favorise une logique d'exclusion : quelqu'un est correct ou il ne l'est pas; il n'y a qu'une façon de faire les choses. L'attitude dite émergente a plutôt recours à une logique d'association; les différences veulent dire variété; plusieurs chemins mènent à Rome. Une attitude analytique, qui postule l'objectivité, est traditionnelle alors que la recherche de la complémentarité de faits vécus et la reconnaissance de la subjectivité de chaque individu se situent dans le courant de l'attitude émergente. C'est la différence entre une approche multidisciplinaire et l'interdisciplinarité à un autre niveau d'opération. L'attitude traditionnelle préconise la maîtrise de la nature alors que l'approche émergente nous amène à considérer la nature comme partenaire; c'est l'uniformité contre la pluralité; c'est le quantitatif contre le qualitatif. C'est l'approche statique confrontée avec l'approche dynamique. C'est la centralisation au lieu de la décentralisation où on donne la préférence au modèle hiérarchique de communication plutôt qu'au modèle holarchique.

Bardieu, dans ses études sur la recherche-action en éducation, nous rappelle que la genèse sociale précède la genèse théorique et méthodologique, de sorte que d'opposer ces deux approches fait qu'on discute en réalité de l'interface de deux problématiques qui sont d'un ordre différent. De plus, cela ressemble étrangement au concept des auditifs et des visuels lorsqu'on l'envisage sous son aspect dynamique avec les trois niveaux du cerveau : ce qui fait six patterns, soit trois niveaux pour l'auditif et trois niveaux pour le visuel. Aussi, cela nous rapproche de ce que Fuller tente de démontrer dans «Synergétique», à savoir qu'il y a au moins six «patterns» uniques fondamentaux qui résultent de l'interférence, où la collision face-à-face n'est qu'une des alternatives, et que le minimum de lien, celui de la proximité critique, se trouve à l'autre extrémité du spectre.

En management, le taylorisme est une approche traditionnelle analytique alors qu'on présente le style japonais de management comme une combinaison des modèles analytique et émergent, modèles qu'on reconnaît exister dans d'autres pays quand-même, bien que dans des contextes sociétaux différents.

Ceci ne peut qu'évoquer une certaine similitude entre les fonctions des hémisphères gauche et droit du cerveau. Puis, Kinsbourne nous rappelle que les données cliniques suggèrent différents états émotionnels au niveau des hémisphères cérébraux. L'hémisphère droit serait triste alors que le gauche serait joyeux!

Dans ce sens, nous observons, dans le couple, que le parent le plus «insécure» dans une situation donnée affiche une attitude traditionnelle, conservatrice, alors que l'autre prendra un risque calculé, utilisant la méthode des probabilités au lieu de se laisser inonder par toutes les possibilités. Nous réalisions alors que la plupart du temps, dans un couple, les deux partenaires ne sont pas malades en même temps. Dans un couple, l'objectivité apparaît comme une marque de respect pour la subjectivité de l'autre à la recherche d'un éventuel synergisme, à un niveau plus complexe au fur et à mesure que leur union avance.

La prise de conscience, de la part des parents, de ces deux attitudes traditionnelle et émergente face à l'avenir a libéré, si l'on peut dire, une initiative telle que nous tenons à mentionner ici que la majorité des solutions apportées dans ce livre nous vient d'eux, la recherche-action ayant été faite par eux dans leurs milieux de vie. C'est ce qu'on retrouve chez le médecin de famille d'expérience. C'est ce que de vieux professeurs ont reconnu en nous disant que nous mettions des mots sur ce qu'ils avaient constaté sans pouvoir le nommer, ou même des jeunes plus «verbaux» que d'autres qui n'étaient pas conscients du sens de leurs solutions ou qui ne savaient pas s'ils pouvaient en parler. Ceci me rappelait le vieil adage qui dit que «nous savons des choses sans le savoir». Aussi avons-nous commencé à nous poser des questions sur ce qu'on appelle la sagesse populaire. Naisbitt nous semble exploiter cette ressource d'information dans «Megatrends» au service des compagnies et multinationales, comme on l'a fait, semble-t-il, durant la guerre pour une toute autre raison naturellement! C'est comme dans l'industrie où on rapporte que 80 % des innovations viennent des consommateurs, et cette autre étude qui nous laisse entendre que 76 % des gens qui voulaient changer d'emploi le faisaient à cause d'un manque de communication dans leur milieu de travail et non pas à cause d'incompétence de leur part. Le phénomène des «drop-out» à l'école, ne pourrait-il pas s'expliquer en partie de cette manière? Or, il semble que oui.

Par la suite nous avons observé que les parents ont très souvent l'habitude de parler à leur enfant de la même manière qu'on leur a parlé à un âge comparable, c'est-à-dire dans le contexte de la société de leur jeune temps. Or, si on s'adressait à eux de cette façon, ils reconnaîtraient que ce n'est plus la manière de les aborder pour bien communiquer avec eux. Il est facile de le leur faire comprendre quitte à l'illustrer. De toute façon, nous leur conseillons de vérifier, que, dans une telle situation, il est plus que probable que leur enfant ne réagira pas de façon appropriée, ou encore que le message ne passera pas, à moins de se faire dire qu'ils sont dépassés. Il faut parfois leur rappeler que dans notre jeune temps, la synthèse nous était donnée par l'autorité alors que de nos jours on alimente nos enfants avec tant de données et d'informations que toutes les opinions ou versions sont monnaie courante. Or, ce que les enfants nous demandent aujourd'hui, est de compléter cette information à la lumière de l'expérience de leurs parents ou comment ils disposent eux-mêmes de cette information, comment ils concilient les points de vue en apparence contradictoires où on reconnaît ouvertement que d'autres aient des priorités différentes des nôtres et aussi, mais sans nécessairement l'accepter, qu'il y ait des gens qui se comportent différemment de nous. Après tout, les enfants ont à composer avec cette réalité déjà avant qu'ils entrent à l'école, ne fut-ce que par la télévision. Dès qu'ils entrent à la maternelle on attend d'eux qu'ils s'adaptent et échangent avec n'importe qui, ce que la plupart d'entre nous ne faisons pas. Il y a des enfants qui croient que lorsque l'adulte est poli avec quelqu'un, c'est nécessairement parce que l'adulte est d'accord avec cette personne-là. Quant à nous, parents, nous tenons pour la plupart à ce que nos enfants arrivent à se servir des instruments que la technologie met présentement à leur disposition.

Il s'agit donc d'une situation encore une fois complexe où la notion de l'idiolecte entre en plein jeu. Mais ce problème d'herméneutique — l'art et la science de l'interprétation — ne peut être évité chaque fois que quelqu'un veut échanger avec quelqu'un d'autre. Après tout, étymologiquement, éthique et éthologie sont de la même racine linguistique et, comme le rappelle de Rosnay dans «Le Macroscope», les mots *cybernétique* et *gouvernement* ont aussi la même racine, soit l'art de gérer et de diriger des systèmes de haute complexité. La trilogie d'Edgar Morin, dans ce domaine, est une contribution plus que remarquable.

L'indispensable complémentarité

Nous avons dit plus haut que l'enfant visuel ne tolère pas d'avoir l'impression que l'autre se sente mal tandis que l'auditif a tendance à «retirer son épingle du jeu», se disant que la problématique est complexe et qu'il faut d'abord en étudier les différentes facettes.

Nous avons aussi pu observer qu'il est impossible, pour les parents, de cacher leur état émotif, qu'ils le veuillent ou non et contrairement à ce qu'on nous avait dit, de ne pas vouloir aider leur enfant à faire face au contexte nouveau de la société contemporaine. En tant qu'interlocuteur, nous pouvons facilement observer ce phénomène dès que nous utilisons un mot ou un signe qui irrite l'un des parents. L'enfant, d'une certaine façon, s'en rend compte avant les adultes. C'est le meilleur moyen pour nous, jusqu'à présent, de savoir si nous sommes au niveau correspondant de communication dès qu'on utilise le mot ou le geste inapproprié pour un des parents. L'enfant visuel, même bébé, dérange alors que l'auditif veut se retirer ou tentera de changer le sujet de conversation même si, pour ce dernier, le mot ne se réfère qu'à l'idée ou au concept plutôt qu'à un événement précis de sa vie, comme c'est généralement le cas pour le visuel.

A ce stade de nos travaux, un garçon de 10 ans, qui avait une grande facilité d'expression, nous dit, devant ses parents, qu'il était comme son père et continue en nous disant dans quelles tâches sa mère et son père se sentaient le mieux. Quelle ne fut pas notre surprise de constater que les tâches n'étaient pas les mêmes pour la mère que pour le père. C'est alors que nous avons fait le lien avec les remarques de nos parents qui, à l'occasion, voulaient nous rappeler que nous nous comportions comme nos enfants à un âge correspondant.

Dès lors nous avons pu nous rendre compte que, dans un couple, tout en conservant le rôle particulier qui leur est dévolu en tant que mère et père tel que mentionné déjà, les deux partenaires s'avèrent aussi complémentaires dans un autre sens, c'est-à-dire que l'un est auditif et l'autre est visuel et ce, indépendamment du sexe. Le même mot, utilisé par l'un d'entre eux, ne veut pas dire exactement la même chose pour les deux. Ceci est «un jeu de mots» auquel les parents prennent goût. Par exemple :

● **Le temps :**
○ pour le *visuel* : le temps est arrivé ;
○ pour *l'auditif* : chaque chose en son temps.

● **Langage :**
○ pour le *visuel* : ce qui est clair et net s'énonce en peu de mots ;
○ pour *l'auditif* : l'histoire n'a pas besoin d'être longue, mais cela va me prendre quelque temps pour la faire brève...

De là nous nous sommes rendus à l'évidence que les enfants se répartissent par couple dans une famille où le premier, par exemple, adopte le profil de la mère et l'autre celui du père, quoique dans une version plus moderne. Le prochain couple d'enfants fera de même mais *pas nécessairement* dans le même ordre que le premier couple d'enfants et à condition qu'il n'y ait pas un trop grand nombre d'années entre les enfants, nombre d'années que nous n'avons pu déterminer encore.

Nous avons dit que les enfants adoptent le profil de leurs parents, mais nous retrouvons le même phénomène chez les enfants qui sont adoptés très jeunes, de sorte que nous ne sommes plus portés à faire de différence entre les enfants adoptés ou non. Ils s'identifient à la figure parentale correspondante avec laquelle ils vivent. C'est la capacité d'adaptation de l'enfant. Nous constatons que même les jumeaux qu'on dit identiques n'ont habituellement pas le même profil, ce que plusieurs parents avaient d'ailleurs déjà constaté sans, pour autant, nous le dire. Rappelons que la grande majorité des parents sont très déférents.

● **Qu'arrive-t-il lorsqu'une des deux figures parentales veut imposer son style à tous les enfants,** rendant le conjoint perplexe devant ce phénomène qu'il ressent sans pouvoir l'expliquer, d'autant plus qu'on lui avait enseigné que les deux parents doivent penser la même chose ?

Il semble qu'une nuance manquait soit celle de confondre les moyens avec le but. En effet, tous les parents veulent contribuer à l'éducation de leurs enfants mais ils ne prennent pas le même chemin pour se rendre à Montréal. C'est comme si l'un d'eux avait tous ses schèmes de référence sur la rive sud du fleuve St-Laurent et que l'autre les prenait sur la rive nord du fleuve. Ainsi, tous deux ont raison, de leur point de vue. Or, il semble bien que la solution dépende à la fois du profil de l'enfant et de la situation que l'enfant doit vivre. Il n'y a qu'une des deux solutions, semble-t-il, qui corresponde le mieux à la situation qu'il rencontre à un moment donné. Comme conséquence, ce n'est plus obligatoirement la mère que nous enverrons à l'école lorsque l'enfant a un problème scolaire. Il faut que le parent correspondant aille voir lui-même. En médecine, d'ailleurs, le parent visuel et le parent auditif ne posent pas les mêmes questions au médecin. Sans examens objectifs, le parent visuel n'est pas rassuré. Quant au parent auditif, il se dit que si le médecin ne demande pas de radiographies, par exemple, c'est qu'il n'en a pas besoin aujourd'hui.

Considérant que les enfants apprennent de leurs deux parents bien qu'ils se sentent mieux compris par celui qui a le profil correspondant et que les enfants apprennent vite, il n'est pas toujours facile d'établir les profils. Les enfants veulent les deux parents. Ils sentent cette complémentarité dès leur tout jeune âge, et plus les échanges sont faciles entre les parents, plus ils apprennent vite. Or, le meilleur moyen de savoir qui est qui, nous parait être de rechercher quel est l'enfant qui se sent le plus mal lorsque le parent correspondant n'est pas bien, ou est tout simplement contrarié. En effet, l'enfant de même profil se sent mal, son parent n'a pas la solution. L'autre réagit à la manière du conjoint. L'auditif se retire alors que le visuel dérange. Il y a bien entendu des situations où les deux parents peuvent se sentir mal, mais en temps ordinaire ils ne sont pas malades en même temps et ils ne sont pas hypersensibles aux mêmes choses de sorte que, devant ce qui énerve l'un des deux conjoints, l'autre a tendance à dire qu'il n'y a rien... Il demeure que la complicité dans le couple peut être telle qu'il est difficile d'établir d'emblée les profils des parents.

● **Chez les grands-parents**, nous observons ainsi que le fait de vieillir se réfère aussi à l'acquisition d'une capacité plus grande de co-adaptation avec son milieu, au point que la personne d'âge d'or revient à l'enfance : elle retrouve son profil de base après avoir passé le cap des 50 ans. Aussi peut-on se demander quel est le sens à donner au fait qu'après cet âge on dit des médecins qu'ils deviennent des philosophes. Quant à Watzlawick, il constate que chez les ingénieurs de la vallée du Silicone, il y a une loi selon laquelle ils doivent voir le psychiatre après 40 ans !

● Nous croyons utile d'ajouter ici que les parents doivent prendre conscience du fait qu'ils apportent à la maison les préoccupations de leur journée de travail. En famille ou dans l'intimité, c'est tout comme s'il y avait une réactivation du système limbique et même du cerveau reptilien lorsqu'on a bien faim par exemple. Ces niveaux reviennent à la surface rapidement, en famille, considérant qu'on a tendance à «projeter» nos préoccupations personnelles sur les personnes les plus significatives pour nous, et ceci à cause de la sécurité implicite dans une relation intime comme le rappellent Merril et Reid dans leur volume «**Personal Styles and**

Effective Performance». Or l'enfant est plus vulnérable que l'adulte et ce dans des équivalents comportementaux plus primaires. Aussi, lorsque l'enfant ressent cette situation, rien ne va plus.

Chez l'enfant, on retrouvera le même phénomène au retour de l'école s'il a rencontré des difficultés. Nous nous devons alors d'amener l'enfant à s'expliquer et, pendant qu'il décrit la situation qu'il a vécue, et ce dans des termes plus ou moins forts selon qu'il a été plus ou moins impressionné, les parents tenteront de reconstruire le contexte pour, ensuite, lui donner leur interprétation qui devra être formulée comme s'ils étaient à l'âge de l'enfant. Aussi, de leur dire de ne pas s'en faire et que ça se passera, ne règle pas le problème. Les réactions des enfants serviront de guide pour savoir si les explications et les solutions proposées par les deux parents sont applicables. Dans certains cas, il sera nécessaire, pour les parents, de consulter soit des parents du profil correspondant à celui de l'enfant soit des amis et même des professionnels de profil correspondant de préférence, dans un premier temps.

Ici, il est nécessaire de rassurer les parents. On reconnaît que les parents sont très modestes lorsqu'il s'agit, pour eux, d'évaluer leurs propres capacités. Ils ont peur de se tromper. Il est donc pertinent de leur rappeler ce que Chomsky a dit au cours du fameux débat qui a eu lieu entre lui et Piaget en 1975 (2), à savoir que les intuitions doivent être considérées comme des données valides lorsqu'on peut les reproduire et qu'elles s'avèrent stables. Et nous leur rappelons que pour des raisons que nous ne connaissons pas, l'enfant «connait» les principes heuristiques dont l'un d'entre eux est celui que, dans tout couple, il y a une dualité de concepts qui sont interreliés et qui ne peuvent être définis simultanément de façon précise. On peut ainsi mieux comprendre le besoin d'échanger dans deux et trois directions en même temps, besoin qui nous révèle alors un modèle transactionnel de communication

(2). Le débat entre Jean Piaget et Noam Chomsky in *Théories du langage. Théories de l'apprentissage*, organisé et recueilli par Massimo Piatelli-Palmarini. Editions du Seuil, 1979.

où on insiste sur le caractère de plasticité de l'environnement et de l'organisme. Les constantes deviennent donc
des processus où les profils sont perçus comme en état de
transaction constante entre les hommes et l'environnement, dans le temps.

C'est ainsi qu'en résumé, la communication implique un
décodage qui est fonction :

1. des niveaux, ici des trois niveaux du cerveau ;
2. des deux modalités principales de discrimination et
d'interprétation de l'information ;
3. de la dotation génétique différente de chacun et de
l'histoire expérientielle de chacun ;
4. de l'influence des structures et institutions de la société.

Le tout étant envisagé comme des niveaux de synergie
progressive où, dans la famille — la cellule de base de
toute société — l'enfant est notre source d'information
face à l'avenir. Rappelons-nous la remarque de Rogers au
tout début : qui éduque qui?... dit le vieil adage. Les
parents ou les enfants? Il nous semble que ce pourrait être
moitié moitié !

L'avenir

«Auditif» ou «visuel»? Tout n'est pas uniquement blanc ou noir. Comme il y a 150 couleurs et que l'être humain peut distinguer 1.000.000 de tonalités nous disent les gemmologues diplômés, l'être humain possède un potentiel d'apprentissage, d'imagination et de co-adaptation qui est pour le moins étonnant. Il y a des années que les psychologues nous disent qu'on n'utilise qu'entre 10 et 20 % du potentiel du cerveau humain. Dans la vie, l'auditif développe le modèle visuel et va même jusqu'à marier le profil visuel alors que ce dernier fait l'inverse. Ne dit-on pas, parfois, d'un vieux couple qu'ils ont déteint l'un sur l'autre?

«Auditif» ou «visuel»? Un sociologue nous dirait que pour respecter la diversité des hommes on se contente de normes qui correspondent à un âge mental de 12 ans et même moins, puisque les sémaphores au coin de la rue se réfèrent à la capacité d'un enfant normal de cinq ans. Ainsi, tout dépend du contexte. Selon le contexte, il est préférable de jouer «auditif» alors que dans une autre situation il est préférable de jouer «visuel». D'imposer un profil aux dépens de l'autre causera à coup sûr des problèmes à plus ou moins long terme. K. Blanchard et S. Johnson, dans leur best-seller intitulé «The One Minute Manager» oppose le manager autocratique au manager démocratique pour démontrer qu'un vrai manager doit être les deux. Tout dépend du contexte!...

Lorsqu'on tient compte des deux modalités les plus apparentes d'interprétation de l'information et d'agir des personnes, nous pouvons constater qu'on a plus de chance de retrouver la loi du rendement optimal que de recourir à la loi du pouvoir où on sacrifie le rendement. C'est l'application de la notion de synergie de B. Fuller où : $1+1 = 4$ et non plus seulement 2. Il définit la synergie comme la capacité de deux forces, personnes ou structures d'information, de s'optimiser mutuellement. Cela conduit à un renforcement mutuel, à l'initiative et à la créativité.

En thérapie familiale, M. Kérouac à l'Université de Sherbrooke, prépare une maîtrise sur la validation du concept des auditifs et des visuels. Il nous rappelait que Titchener, un psychologue, disait déjà au début du siècle qu'il y avait 44 000 sensations dont 32 820 étaient influencées par la vision et 11 600 par l'audition. Comme vous aurez pu le constater à la lecture de ce livre, notre éthogramme est loin d'être complet.

Au niveau de l'enseignement collégial, I. Robert prépare un doctorat à l'Université de Montréal sur ce concept. Sa préexpérimentation l'amène à dire que le professeur doit enseigner sous les deux modes. Nous l'avons informé des travaux de La Garanderie à Paris qui, parallèlement à nous, a retrouvé lui aussi ce concept qu'il a appelé «Les Profils Pédagogiques — discerner les aptitudes scolaires» publié en 1980. Cette coïncidence me paraît confirmer ce que plus d'un historien des sciences a déjà dit : lorsqu'une problématique se pose pour une civilisation donnée, on y verra plus d'un personnage ou équipe se pencher sur quelque chose qui est ressenti et difficilement définissable au début, pour voir apparaître au bout de plusieurs années, une série de communications qui, finalement, se recoupent, bien qu'abordées sous des angles différents. Pour n'en mentionner que quelques-unes, c'est ce qui se passe avec Wartzlawick dans «Le langage du changement», et Bandler et Grinder en Californie, celles de Rosenthal, l'effet Pygmalion et «Sensitivity to Non-Verbal Communication : the Pons Test» à Boston, de même que T.B. Brazelton pédopsychiatre de qui je m'étonne qu'il n'ait pas retrouvé lui-même ce concept des auditifs et des visuels. D'après moi, je constate qu'il en possède tous les éléments à la lecture de ses écrits, à notre façon bien entendu...

R. Hurtubise, auteur de «L'Humain dans les Systèmes d'Information de Gestion» a décrit trois variables d'humanisation des systèmes d'information organisationnelle et nous rappelle qu'il en existerait 34 782. Il invite instamment les concepteurs de systèmes d'information à tenir compte du concept des auditifs et des visuels dans les futurs designs et particulièrement pour les concepteurs de systèmes bureautiques qui, si on retient les principales définitions de ce qu'est la bureautique, visent à l'instauration de systèmes d'information individuels et davantage personnalisés. H. Simon nous rappelle que nous devons comprendre ces expressions dans leur sens sociologique plutôt que technique. Les formats d'information et de communication des auditifs et des visuels ne sont pas identiques, surtout dans une situation nouvelle.

Nous avons eu l'occasion de présenter ce concept au 1er- Congrès International de Psychophysiologie qui s'est tenu à Montréal à l'été 1982. Nous avons fait état d'observations qu'il y aurait lieu de vérifier en laboratoire car, au niveau des neurotransmetteurs, le système adrénergique paraît prépondérant chez le visuel alors que le système sérotoninergique le serait chez l'auditif. Nous avons appris depuis lors qu'on pouvait vraisemblablement changer l'individu de type A — sujet à l'hypertension etc... — en type B avec des bêta-bloqueurs. A première vue, le type A ressemble étrangement au profil visuel alors que le type B ressemble plutôt au profil auditif. La migraine se retrouve définitivement plus souvent chez la personne de profil visuel. Les deux profils ne réagissent souvent pas de la même façon à plus d'un des médicaments qui agissent sur le système nerveux central. Que penser des électroencéphalogrammes légèrement dysfonctionnels chez les enfants avant l'âge de la puberté ? Il y a lieu de se demander si la technologie, qui est avant tout visuelle, n'aurait pas le don de faire ressortir davantage les caractéristiques des visuels : ça se voit !

Comment se fait-il que la plupart des enfants d'intelligence «normale», qui ont des difficultés à l'école primaire, pour certains, accusent un déficit des fonctions d'un des hémisphères cérébraux, alors que d'autres parlent d'immaturité ? Or, dans plus d'un cas, il s'agit d'un manque de préparation de l'enfant visuel, surtout au contexte auditif de l'école primaire contemporaine, alors que pour d'autres, le fait de les avoir obligés à rester à l'école jusqu'à l'âge de 16 ans leur complique la vie.

Quant aux implications en médecine somatique, on peut dire que les manifestations psychosomatiques qu'on constatera chez un enfant se retrouvent généralement dans les antécédents du parent correspondant, réaction à laquelle l'adulte a souvent trouvé une solution.

Aussi, ce concept des auditifs et des visuels soulève-t-il une foule de questions qui devront faire l'objet de bien d'autres observations contrôlées dans le vécu. Il y a toutefois lieu de s'attendre à ce que nous ne trouvions pas toutes les réponses avant que «l'homme inconscient» n'en soit rendu à un autre stade qu'il faudra à nouveau expliciter. Aussi sommes-nous portés à penser que pour le moment, il faut donner raison à Edgar Morin lorsqu'il dit que «tout va donc se jouer à l'interface inconscient de l'humanité et la prise de conscience». Dans la réalité, tout est interdépendant.

Pensées de la fin

« *Ecoutes, écoutez votre patient,*
il vous donne le diagnostic. »

René Laennec

« *Gentleman, more mistakes are made,*
many more, by not looking than by not knowing. »

(« *Messieurs, beaucoup plus d'erreurs sont commises*
parce qu'on ne regarde pas, que par ignorance. »)

Sir William Jenner

Pourrions-nous dire :
« *Que les visuels entendent ce qu'ils voient, et*
que les auditifs voient ce qu'ils entendent. »

Béatrice Lessoil - Lafontaine

Remerciements

Je tiens à remercier en premier lieu celui que je considère, parmi les chercheurs, le plus humain, c'est-à-dire mon mari, grâce à qui j'ai pu écrire ce livre. L'enseignement de sa découverte, sa confiance et sa participation à ce livre m'ont permis de vous livrer les pages qui précèdent. Je dois aussi remercier un très grand ami, le docteur Gilles Racicot, qui nous a toujours encouragés à continuer notre recherche et qui d'ailleurs cherche lui-même à améliorer le sort de ses semblables ; et sa femme Louise, qui à bien voulu relire et corriger le manuscrit.

Je tiens aussi à remercier nos parents, qui nous ont toujours soutenus et encouragés à persévérer malgré les embûches rencontrées au cours des années.

Enfin, merci à tous ceux qui nous font confiance, les petits, comme les grands.

Bibliographie

ANDRÉ-THOMAS, STE-ANNE D'ARGASSIE, *Etudes neurologiques sur le nouveau-né et le jeune nourrisson.* Masson, Paris. 1952.

BANDLER, GRINDER, *Les secrets de la communication.* Le Jour, éditeur, 1981.

BEAR, D.M., *Hemispheric Specialization and the Neurology of Emotion.* Arch. Neurol., Chicago, 40, 195-202, 1983.

BLANCHARD K., JOHNSON S., *The One Minute Manager.* 1981.

BLONDIN A., HAMEL J., JACQUES J., MATHIEU J., *Nos organisations désorganisées,* in *Crise et Leadership.* J. Dufresne et J. Joacques dir., Boréal Express, Montréal, 1983.

CHOMSKY N., *Reflections on Language,* Pantheon, New York, 1976.

CHURCHMAN C.W., *The Design of Inquiring Systems,* Basic Books, New York, 1971.

CRONBACH L.J., SNOW R.E., *Aptitudes and Instructional Methods.* John Wiley & Sons Inc., New York, 1977.

DE ROSNAY J., *Le macroscope.* Editions du Seuil, 1975.

ERIKSON E., *Enfance et société.* Delachaux et Niestlé, 1966.

FERGUSON M., *Les enfants du verseau.* Calman Lévy, 1981.

FULLER, B., *Synergetics.* Collier MacMillan Publ., Londres, 1975.

FUNCK-BRENTAND J.-L., *L'informatique et la médecine in Information et communication,* Maloine s.a. éditeur, Paris, 1983.

GUILFORD, J.P., *The nature of Human Intelligence.* Mc Graw Hill, New York, 1967.

HALL E.T., *La nouvelle communication — Recherches sur l'interaction.* Editions du Seuil, 1981.

HOFSTADTER D.R., GODEL, ESCHER, BACH. *Vintage Books*, New York, 1980.

HURTUBISE R.A., *L'humain dans le système*. Les éditions Agence d'Arc inc., Montréal, 1981.

JACKSON J.H., *Selected Writings*. Basic Books Inc., New-York, 1958.

JAYNES J., *The Origin of Consciousness in the Breakdown of the Bicameral Mind*. Les Presses de l'Univ. de Toronto, Toronto, 1978.

LABORIT H., *La nouvelle grille*. Editions Robert Laffont, Paris, 1974.

MACLEAN P.D., *The triune brain, emotion and scientific bias*. in F.O. Schmitt, *The Neurosciences*, Second Study Program. Rockfeller Univ. Press, New York, 1970, pp. 336-349.

MERRIL D.W., REID R.H., *Personal Styles and Effective Performance*, Shelton Book, Radnor, Pensylvania, 1981.

MILLER J.D., *Scientific Literacy: a conceptual and empirical review*. Daedalus, vol. 112, no. 2, pp. 29-48, 1983.

MOCH R., *Informatique et société moderne* in *Information et communication*, Maloine s.a. Editeur, 1983.

MORIN E., *La méthode* : 2. *La vie de la vie*. Editions du Seuil, 1980.

NAISBITT J., *Megatrends*. Warner Books, New York. 1982.

RACK L., *Developmental dyslexia and literary creativity: creativity in the area of deficit*. J. of Learning Disabilities, 1981, 14, 262-63.

ROGERS C.R., *Le développement de la personne*. Dunod, Paris, 1968.

ROSENTHAL R., HALL J.A., DIMATTEO M.R., ROGERS P.L., ARCHER D., *Sensitivity to nonverbal communication, the pons test*. The Johns Hopkins Univ. Press, Baltimore and London, 1979.

SEBEOK T.A., in *Le champ sémiologique — perspectives internationales*. Editions Complexe, Bruxelles, 1979.

SIMON H., *Le nouveau management, la décision par les ordinateurs*. Economica, 1980.

STRAUSS A.A., LEHTINEN L.E., *vol. 1 — Psychopathology and education of the brain-injured child*. Grune and Stratton, New York, 1947.

STRAUSS A.A., KEPHART N.C., *vol. 2 — Psychopathology and education of the brain-injured child*. Grune and Stratton, New York, 1955.

WATZLAWICK P., *Le langage du changement*. Editions du Seuil, 1978.

Table des matières

IMPRIMERIE L'ÉCLAIREUR
Beauceville (Québec), G0M 1A0
15838